FRANÇOISE TCHOU

2e

POUR LA MAISON

LES EXERCICES DU
petit prof

FRANÇAIS
MATHÉMATIQUE

Trécarré
Une compagnie de Quebecor Media

ÉDITION : MILÉNA STOJANAC
COUVERTURE : KUIZIN
INFOGRAPHIE ET MISE EN PAGES : KUIZIN
ILLUSTRATIONS : CHRISTINE BATTUZ

LES ÉDITIONS DU TRÉCARRÉ RECONNAISSENT
L'AIDE FINANCIÈRE DU GOUVERNEMENT DU
CANADA PAR L'ENTREMISE DU PROGRAMME D'AIDE
AU DÉVELOPPEMENT DE L'INDUSTRIE DE L'ÉDITION
(PADIÉ) POUR SES ACTIVITÉS D'ÉDITION.

LES ÉDITIONS DU TRÉCARRÉ
GROUPE LIBREX INC.
UNE COMPAGNIE DE QUEBECOR MEDIA
LA TOURELLE
1055, BOUL. RENÉ-LÉVESQUE EST
BUREAU 800
MONTRÉAL (QUÉBEC) H2L 4S5
TÉL. : 514 849-5259
TÉLÉC. : 514 849-1388

DÉPÔT LÉGAL – BIBLIOTHÈQUE ET ARCHIVES
NATIONALES DU QUÉBEC
ET BIBLIOTHÈQUE ET ARCHIVES CANADA, 2008

ISBN : 978-2-89568-360-5

DISTRIBUTION AU CANADA
MESSAGERIES ADP
2315, RUE DE LA PROVINCE
LONGUEUIL (QUÉBEC) J4G 1G4
TÉLÉPHONE : 450 640-1234
SANS FRAIS : 1 800 771-3022

DIFFUSION HORS CANADA
INTERFORUM

MOT AUX PARENTS

Les devoirs provoquent bien des maux de tête. Les parents sont inquiets et se sentent souvent démunis, surtout depuis les dernières réformes en éducation. C'est pour répondre à leurs inquiétudes que nous avons publié *Le Petit Prof – Aide aux devoirs*, des ouvrages de référence où les notions du programme de français et de mathématique sont expliquées pour être bien comprises de tous, chaque explication étant accompagnée de devoirs modèles déjà corrigés.

Les Exercices du Petit Prof ont été conçus pour compléter ces ouvrages de référence. Les exercices, calqués sur les devoirs modèles du *Petit Prof*, permettront à votre enfant de s'entraîner à son propre rythme et ainsi de consolider les apprentissages faits en classe.

Les éditeurs.

COMMENT UTILISER CE CAHIER

Après avoir cherché dans l'ordre alphabétique, comme dans un dictionnaire, la notion qui pose un problème, on peut utiliser ce cahier de deux façons :

1. S'entraîner à faire les exercices, puis vérifier les réponses dans le corrigé.

2. Commencer par lire l'explication dans *Le Petit Prof – Aide aux devoirs*, consulter les devoirs modèles, puis faire les exercices dans le cahier.

Le corrigé des **Exercices du Petit Prof** est disponible sur l'Espace pédagogique du site des Éditions du Trécarré :

http://www.edtrecarre.com/pedagogique

Vous pouvez le consulter, le télécharger ou l'imprimer selon vos besoins. De plus, vous y trouverez les renvois aux pages d'explications du *Petit Prof – Aide aux devoirs* correspondantes.

SOMMAIRE
Français

grammaire

Accord dans le groupe du nom	9	Mot	34
Classes de mots	16	Mot de relation	35
Déterminant	19	Nom	36
Féminin	21	Nombre	39
Genre	25	Phrase	41
Groupe du nom	27	Pluriel	42
Majuscule	30	Ponctuation	44
Masculin	32	Pronom	46
		Singulier	48

conjugaison

Futur	24
Passé	40
Présent	45

orthographe d'usage

Accents	8
Alphabet	11
Apostrophe	14
Cédille	15
Lettres muettes	28
m devant m, p, b	29
Syllabe	70

vocabulaire

Antonymes	13

son

ai, è, ei, et	50	el (elle)	57	ille	63
ail (aille)	51	esse, ette	58	in, ain, ein	64
an, en	52	eu	59	o, au, eau	65
c dur, c doux	53	euil (euille)	60	oi	66
ch	54	g dur, g doux	61	on	67
é, er	55	gn	62	ph	68
eil (eille)	56			s = z	69

SOMMAIRE
Mathématique

arithmétique

Addition..72
Centaine...79
Comparer les nombres................................83
Décomposer les nombres...........................91
Division..93
Dizaine...95
Fraction..100
Multiplication...105

Nombres impairs.....................................107
Nombres pairs..108
Ordre croissant..109
Ordre décroissant...................................110
Soustraction...121
Suites de nombres...................................130
Table d'addition.......................................132
Unité...138

géométrie

Figure plane..98
  Carré...78
  Cercle...82
  Losange..104
  Rectangle...118
  Triangle...137

Solide...119
  Cône..85
  Cube..87
  Cylindre..89
  Prisme..111
  Pyramide...116
  Sphère...127

mesure

Longueurs...102
Temps..133

probabilité et statistique

Probabilité..114
Statistique..128

FRANÇAIS

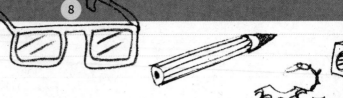

Accents

1 Complète chaque mot par la lettre accentuée qui convient.

chemin__e	__glise	l__gume	po__sie
d__corer	h__risson	m__chant	pr__sent
d__jeuner	id__e	m__daille	Qu__bec
apr__s	li__vre	mod__le	poussi__re
ch__re	m__tre	pi__ce	probl__me
fl__che	él__ve	plan__te	r__gle
All__ !	__tre	m__me	t__te
bo__te	f__ché	p__che	tra__neau
c__té	fl__te	temp__te	v__tement
apr__s	él__ve	m__chant	poussi__re
bo__te	fâch__	pi__ce	pr__sent
chemin__e	id__e	probl__me	t__te
d__jeuner	l__gume	Qu__bec	v__tement

Accord dans le groupe du nom

Voir aussi groupe du nom.

1 Complète les groupes du nom par le déterminant **le** ou **la**.

_____ bouche	_____ hérisson	_____ mouche	_____ salade
_____ bras	_____ jeu	_____ montagne	_____ salon
_____ cabane	_____ jeudi	_____ mouton	_____ samedi
_____ chanteur	_____ joie	_____ niche	_____ sapin
_____ chanteuse	_____ journée	_____ nom	_____ semaine
_____ chemin	_____ légume	_____ nuage	_____ sucre
_____ cheminée	_____ lettre	_____ nuit	_____ table
_____ classe	_____ lièvre	_____ patte	_____ tableau
_____ cochon	_____ lion	_____ pain	_____ tarte
_____ confiture	_____ lit	_____ papier	_____ tempête
_____ crocodile	_____ lundi	_____ pêche	_____ traîneau
_____ cuisine	_____ lune	_____ problème	_____ trésor
_____ dame	_____ lutin	_____ pluie	_____ vache

2 Choisis dans les parenthèses le déterminant qui convient, puis écris-le.

(le / les) _____ cochon

(mon / mes) _____ mouton

(sa / ses) _____ chatte

(le / les) _____ cochons

(une / des) _____ mouche

(un / des) _____ hérissons

(une / des) _____ journées

(le / les) _____ chemins

(une / des) _____ mouches

(son / ses) _____ frère

(mon / mes) _____ moutons

(sa / ses) _____ chattes

(le / les) _____ hérisson

(la / les) _____ salade

(sa / ses) _____ vaches

(le / les) _____ papiers

(un / des) _____ papier

(la / les) _____ lune

(la / les) _____ journée

(une / des) _____ mères

(une / des) _____ salades

(un / des) _____ rois

(ma / mes) _____ mère

(le / les) _____ chemin

(son / ses) _____ frères

(un / des) _____ roi

(sa / ses) _____ vache

(une / des) _____ lunes

Alphabet

1 Ajoute les lettres qui manquent.

a b c ___ ___ f ___ h i j k l m ___ o ___ q r s t ___ v w x ___ z

___ ___ c d e f ___ h i j k l ___ n ___ p ___ r s t u v w ___ y z

a b c d e g h i ___ ___ ___ m n o p q ___ s t u ___ ___ x ___ z

a b c d e f g ___ i ___ k l m n ___ ___ q r s ___ u ___ w x y ___

a b c d ___ f g h i ___ k ___ m ___ o p ___ r ___ ___ u v w x y ___

a ___ c d e ___ g h ___ j k l ___ n o p ___ ___ s t u v w ___ ___ z

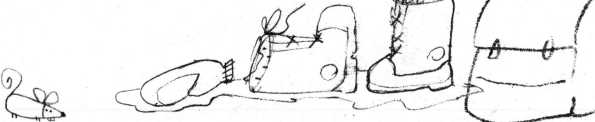

2 Classe les mots suivants selon l'ordre alphabétique.

a) dame   enfant   bol   avion   coq

_____

_____

b) île   fleur   histoire   gâteau

_____

_____

c) lutin   kiwi   jour   montagne

_____

_____

d) nuage   quatre   papier   orange

_____

_____

e) tarte   sapin   ville   usine   zéro

_____

_____

3 Parmi les lettres suivantes, entoure en rouge les voyelles, entoure en bleu les consonnes.

u   c   q   d   e   f   h   o   j   k   z   x   n

i   w   y   b   g   a   m   p   r   l   s   t   v

Antonymes

 Écris le contraire de chaque mot en utilisant la liste.

a) long, facile, haut, fragile, propre, vrai

difficile _____   solide _____

sale _____   court _____

faux _____   bas _____

b) cru, fort, jeune, joyeux, mou, utile

faible _____   cuit _____

triste _____   vieux _____

dur _____   inutile _____

c) accepter, ajouter, perdre, ouvrir, rester, vendre

enlever _____   refuser _____

trouver _____   fermer _____

partir _____   acheter _____

Apostrophe

1 Complète les groupes de mots en choisissant dans les parenthèses le mot qui convient.

(la, l') _____ abeille   (le, l') _____ insecte   (je, j') _____ chante

(le, l') _____ enfant   (le, l') _____ ustensile   (je, j') _____ entre

(la, l') _____ musique   (le, l') _____ hibou   (me, m') je _____ amuse

(la, l') _____ orange   (le, l') _____ orignal   (te, t') tu _____ appelles

2 Réécris les phrases en mettant les apostrophes qui conviennent.

a) Le chien de Lulu se appelle Hélas.

_____

_____

b) Son anniversaire est au mois de octobre.

_____

_____

c) Viens chez moi, si il te plaît.

_____

Cédille

Voir aussi sons : c dur, c doux.

 Complète les mots par la lettre c ou ç.

une le___on   un ___ube   une piè___e   ___inquante

une ___itrouille   une fa___ade   la gla___e   mer___i

un es___argot   un ___ygne   un re___u   fa___ile

un es___alier   un ___éleri   la dou___eur   dé___u

le ___iel   une ___arotte   la poli___e   j'é___oute

un ___amarade   un ___oussin   une é___ole   je dé___ide

un ___itron   une ___ave   une sa___oche   je ___ours

un gar___on   une grima___e   un é___ureuil   je ra___onte

un cro___odile   une prin___esse   une balan___oire   je re___ois

un ___inéma   un gla___on   un ___irque   je dé___oupe

une ___ulotte   la ___uisine   une ___igogne   je pla___e

le fran___ais   une lima___e   un hame___on   nous pla___ons

un ___artable   un la___et   une pin___e   nous avan___ons

Classes de mots
Voir aussi *déterminant, nom, pronom.*

1 Entoure les noms en bleu, les déterminants en rouge et les pronoms en vert.

nous	enfant	chien	un
forêt	camion	Mélodie	château
des	deux	nuit	votre
soulier	fleur	mes	jouet
soleil	notre	vos	hiver
Adèle	bateau	elle	carte
ils	il	bicyclette	Olga
fête	ami	elles	cinéma
robe	une	dame	cette
ta	étoile	feuille	tes
échelle	ma	cheveu	maison
trois	Omar	miel	ton
rue	mon	au	ces
ses	sa	aux	son
vous	nos	chocolat	du

2 Dans les phrases suivantes, entoure les noms en bleu et les déterminants en rouge.

a) Lulu a appelé son chien Hélas.

b) Il met des poils sur les fauteuils.

c) Il déteste prendre son bain.

d) Hélas a mangé cinq dictionnaires.

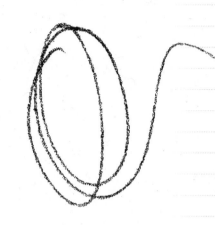

e) La mère de mon amie était très en colère.

f) Elle a puni Hélas.

g) Ursule a quatre souris.

h) Elles sont toujours dans la cave.

i) Elles mangent des biscuits et des morceaux de fromage.

j) La nuit, elles courent dans le jardin.

k) Demain, mes parents vont au cinéma.

l) Je vais dormir chez Lulu.

m) Nous apprendrons des tours aux souris.

n) Vous aurez de mes nouvelles.

3 Classe dans le tableau les noms, les déterminants et le pronom de chaque phrase.

a) Ce soir, Adèle et ses quatre amis donnent un spectacle, ils chanteront.

Noms	Déterminants	Pronom

b) Adèle apportera son violoncelle, elle jouera aussi du piano, de la guitare et des cymbales.

Noms	Déterminants	Pronom

Déterminant

Voir aussi classes de mots, groupe du nom.

 Dans les groupes du nom suivants, souligne les déterminants.

le printemps	la vache	les animaux
un lapin	une poule	des parents
ce bateau	cette fille	ces enfants
mon ourson	ma voiture	mes patins
ton père	ta mère	tes frères
son pantalon	sa chemise	ses bas
notre école	votre maison	leur professeur
nos souliers	vos sacs	leurs tuques
du pain	quatre mots	cinq pages
l'autobus	la terre	trois billes
des lutins	mon dessin	cette montagne
un nuage	des arbres	ma fleur
les vacances	ta couverture	ton lit
le téléphone	du lait	une fée
mes souris	notre famille	votre histoire
ces élèves	dix bicyclettes	mon château
leur cheminée	nos cousins	ses pieds

2 Dans les phrases suivantes, souligne les déterminants.

a) Dans notre classe, il y a trois tortues.

b) Dans la cour de l'école, il y a dix balançoires.

c) Omar donne du pain aux tortues.

d) Omar partage ses collations avec les moineaux.

e) Ils attrapent la nourriture avec leur bec.

f) Amédée et son ami Lancelot sont deux coquins.

g) Ce matin, Lancelot cherche sa bicyclette.

h) J'ai trouvé une bicyclette dans le parc.

i) Cette bicyclette est à Lancelot.

j) Amédée pense que le Soleil se couche au nord.

k) Le Soleil se couche à l'ouest.

l) Amédée ne fait jamais ses devoirs.

m) Mélodie veut rencontrer sa mère et son père.

n) Votre fils a un caractère difficile.

Féminin

Voir aussi genre.

1 Entoure les noms féminins.

tante	oncle	grand-mère	mère
grand-père	soeur	frère	père
chanteur	prince	roi	princesse
sorcière	lutin	homme	reine
chatte	mouton	chienne	brebis
grenouille	vache	boeuf	singe
table	lampe	gâteau	château
montagne	jardin	fleur	chemin
tomate	radis	soupe	pain
escalier	rue	fenêtre	piano
bicyclette	jouet	auto	avion
printemps	été	automne	hiver
journée	mois	année	semaine

2 Écris **un** ou **une** devant les mots suivants.

_____ fille   _____ fils   _____ marraine   _____ parrain

_____ personne   _____ cousin   _____ sorcier   _____ famille

_____ chanteuse   _____ fée   _____ demoiselle   _____ garçon

_____ loup   _____ louve   _____ cochon   _____ poisson

_____ chienne   _____ chien   _____ chat   _____ chatte

_____ oiseau   _____ éléphant   _____ souris   _____ abeille

_____ ambulance   _____ hôpital   _____ immeuble   _____ avenue

_____ guitare   _____ balançoire   _____ échelle   _____ école

_____ jour   _____ ciel   _____ lune   _____ nuage

_____ épicerie   _____ cinéma   _____ valise   _____ plume

_____ casquette   _____ botte   _____ chandail   _____ foulard

_____ dimanche   _____ chanson   _____ nuit   _____ matin

 3   Écris les noms suivants au féminin.

un marchand, une _____

un cousin, une _____

un ami, une _____

un voisin, une _____

un marié, une _____

un lapin, une _____

un client, une _____

un invité, une _____

un remplaçant, une _____

un blessé, une _____

un habitant, une _____

un débutant, une _____

un ours, une _____

un bavard, une _____

un coquin, une _____

un enseignant, une _____

un étudiant, une _____

un Québécois, une _____

un boulanger, une _____

un Anglais, une _____

un sorcier, une _____

le premier, la _____

le dernier, la _____

un jardinier, une _____

un boucher, une _____

un étranger, une _____

un inconnu, une _____

un gamin, une _____

Futur

Voir aussi *passé, présent.*

 Coche les phrases qui sont au futur.

 L'année dernière, Gonzales était dans ma classe.

 En maternelle, Lulu était dans ma classe.

 Cette année, Omar est dans ma classe.

 Dans deux jours, j'aurai un chien.

 Il y a cinq minutes, il dormait encore sur son bureau.

 En ce moment, il parle dans son sommeil.

 Dans cinq minutes, il se réveillera.

 L'an prochain, j'irai voir ma tante en Grèce.

 Ce matin, il fait un temps de printemps.

 Avant-hier, j'ai perdu ma tuque.

 Bientôt, je sortirai sans manteau.

 Amédée, sors de la classe immédiatement !

 À la même heure, hier, Amédée est sorti de la classe.

 La prochaine fois, je serai plus prudent.

 Hier, Lancelot et Amédée m'ont embêté toute la journée.

 Maintenant, ils sont plus calmes.

 Ne me dérangez pas, je suis au téléphone en ce moment.

 J'arrive tout de suite.

Genre

Voir aussi féminin, masculin.

1   Entoure les noms de genre masculin en bleu et les noms de genre féminin en rouge.

épicier	voisine	oncle	tante	cousine
fille	boucher	jardinier	frère	bouchère
Olga	Québécoise	jumeau	soeur	cheval
étudiante	Mélodie	peintre	épicière	Québécois
mouton	agneau	jumelle	écureuil	brebis
souris	hérisson	phoque	poisson	oiseau
étoile	hôpital	école	anniversaire	fauteuil
conseil	cuisine	autobus	escalier	avion
armoire	autoroute	groseille	feuille	orange
oreille	air	ambulance	serviette	fourchette
portefeuille	orteil	auto	moto	appareil
bicyclette	réveil	éventail	sommeil	orage

2 Dans les parenthèses, écris **M** si le mot est masculin, écris **F** si le mot est féminin.

chatte (_____)   lionne (_____)   minute (_____)

heure (_____)   personne (_____)   famille (_____)

dessin (_____)   histoire (_____)   montagne (_____)

lac (_____)   forêt (_____)   infirmière (_____)

jardin (_____)   épaule (_____)   dimanche (_____)

lundi (_____)   mardi (_____)   mercredi (_____)

vacances (_____)   travail (_____)   devoir (_____)

exercice (_____)   soulier (_____)   été (_____)

addition (_____)   affiche (_____)   équipe (_____)

éponge (_____)   automne (_____)   hiver (_____)

enveloppe (_____)   printemps (_____)   feuille (_____)

midi (_____)   eau (_____)   amour (_____)

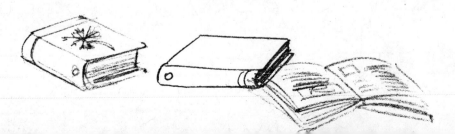

Groupe du nom

Voir aussi accord dans le groupe du nom, déterminant, nom.

 Souligne les groupes du nom des phrases suivantes.

a) Les vacances sont dans deux jours.

b) Louis va chez sa tante.

c) Il restera là-bas pendant une semaine.

d) Son oncle élève des chèvres et cultive les fraises.

e) Ils habitent dans une ferme, près de Québec.

f) Leur maison est sur une colline.

g) Ses deux cousins s'appellent Charles et Henri.

h) Louis pourra monter sur le tracteur.

i) Les garçons construiront une cabane dans un arbre.

j) Louis rapportera du fromage à ses parents.

k) Il a promis à la cuisinière de lui apporter des fraises.

l) Elle fera des tartes et des compotes pour les enfants.

m) Omar, qui est un gourmand, sera content.

Lettres muettes

1 Entoure les mots qui contiennent une lettre muette.

pied	judo	loup
vie	colis	nuit
hiver	deux	tambour
hôtel	bougie	bonbon

2 Souligne les lettres muettes des mots suivants.

un canard	la joie	une tortue	beaucoup
un repas	un plat	la paix	chaud
une rue	un hôtel	trop	jamais
du bois	petit	une roue	le début

3 Complète par la lettre muette qui convient.

lour____	for____	gran____
gro____	heureu____	une balançoir____
un pri____	un ni____	un desser____
un robo____	jaun____	un ju____

m devant m, p, b

 Complète les mots par la lettre **n** ou **m**.

du ja___bon	déce___bre	un ti___bre
une cha___bre	nove___bre	un i___vité
une a___bulance	septe___bre	i___portant
un cha___pion	ja___vier	i___possible
une fra___boise	un no___bre	il dema___de
un cha___pignon	une tro___pe	il resse___ble
un ta___pon	un bo___bon	elle tre___ble
une ra___pe	le mo___de	il e___mène
un tra___poline	une o___bre	elle e___porte
le printe___ps	une mo___tagne	il raco___te
la te___pérature	une co___ptine	elle co___pte
une te___pête	un pi___ceau	il to___be
ense___ble	un i___perméable	il gri___pe

Majuscule

Voir aussi *alphabet*.

1 Entoure en rouge les lettres majuscules.

a	B	c	D	e	f	u	E	F	g	G	l
H	b	I	m	r	J	c	K	L	M	h	v
N	a	p	z	O	r	Q	h	R	j	k	o
S	T	U	n	V	q	y	W	i	s	X	d
Y	x	Z	b	C	t	A	x	P	F	w	g

2 Complète les mots par les lettres minuscules ou par les lettres majuscules.

a) La lettre **l** (minuscule) ou la lettre **L** (majuscule).

_____undi, _____'ami de _____ancelot a tiré _____a _____angue

à _____ulu.

b) La lettre **m** (minuscule) ou la lettre **M** (majuscule).

_____ardi, _____onsieur _____arcel _____onette _____ontrera ses _____outons

à _____adame _____arceline _____orissette.

c) La lettre **s** (minuscule) ou la lettre **S** (majuscule).

_____ amedi, _____erge a mis du _____ucre dans la _____oupe

de _____a _____oeur _____uzie.

d) La lettre **r** (minuscule) ou la lettre **R** (majuscule).

Le _____oi _____ichard _____onfle en _____êvant qu'il _____amasse

des _____oses _____ouges pour la _____eine _____ita.

3 Combien y a-t-il de phrases dans chaque texte ?

a) Il était une fois un petit garçon qui s'appelait Théodore. Tous les trois jours, il allait voir sa tante. Sa tante s'appelait Thérésa Théberge. Elle vivait à Tadoussac. Elle élevait des moutons.

Réponse : ☐ phrases

b) Un jour, un mouton a disparu. Théodore est parti dans la forêt. Il a cherché toute une journée et toute une nuit. Le matin, il a entendu le mouton pleurer. Il s'était perdu. Théodore lui a caressé la tête et l'a ramené à la maison.

Réponse : ☐ phrases

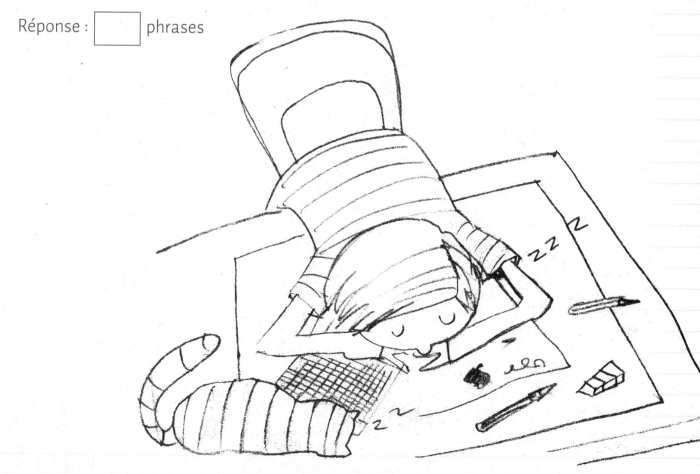

Masculin

Voir aussi genre.

 Entoure les noms masculins.

roi	oncle	princesse	mère
grand-père	soeur	tante	père
danseur	prince	frère	grand-mère
Jeanne	Jean	reine	homme
danseuse	chèvre	vache	bouc
boeuf	crapaud	grenouille	orignal
fauteuil	lampe	gâteau	château
autoroute	ruisseau	orteil	appareil
concombre	piment	soupe	beurre
escalier	avenue	étagère	trompette
bicyclette	jouet	vendredi	samedi
éventail	anniversaire	épouvantail	médaille
auto	autobus	exercice	armoire

2 Écris **un** ou **une** devant les noms suivants.

_____ champion   _____ hiver   _____ journée   _____ forêt

_____ bois   _____ écolier   _____ tambour   _____ écolière

_____ souris   _____ ciel   _____ plante   _____ bonbon

_____ frère   _____ cadeau   _____ marin   _____ bureau

_____ violon   _____ animal   _____ Noël   _____ fête

3 Écris le masculin des noms suivants.

une chatte, un _____   une chienne, un _____

une amie, un _____   une cliente, un _____

une blessée, un _____   une bergère, un _____

une mariée, un _____   une première, un _____

une remplaçante, un _____   la dernière, le _____

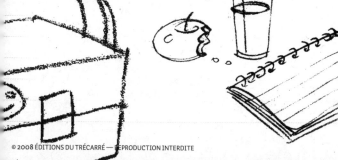

Mot

 Entoure les mots.

sluppp	hiver	jouer	courir	mon
orange	ours	cdef	mes	soulier
un	jamais	tombouc	avec	petit
pluct	Olga	Québec	banane	six
saute	manger	cochon	vtyu	l'
Tadoussac	ils	pompier	elle	sploutfr

2 **Combien y a-t-il de mots dans chaque phrase ?**

a) Quand je serai grande, je serai bergère.   Réponse : [ ] mots

b) J'aurai une chèvre et des moutons blancs.   Réponse : [ ] mots

c) L'été, mes bêtes courront dans la campagne.   Réponse : [ ] mots

d) En hiver, elles resteront dans la montagne.   Réponse : [ ] mots

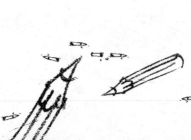
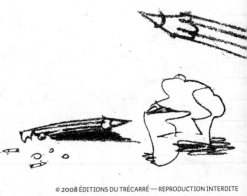

Mot de relation

1 Pour chaque phrase, choisis dans la liste le mot de relation qui convient :
par – avec – chez – à – dans – sur.

a) Amédée ne va jamais _____ le coiffeur.

b) Louis n'arrive jamais en retard _____ l'école.

c) Octave ne se chicane jamais _____ sa soeur.

d) Olga ne va jamais _____ la forêt toute seule.

e) Lancelot ne passe jamais _____ le même chemin.

f) Adèle ne met jamais ses pieds _____ la table.

g) Louis ne bavarde jamais _____ son voisin.

h) Olga ne va jamais coucher _____ ses amies.

i) Omar n'arrive jamais le dernier _____ la cafétéria.

j) Lulu ne va jamais _____ la rue sans son chien.

k) Charles-Antoine ne rentre jamais _____ lui en autobus.

l) Gonzales ne laisse jamais son ballon _____ la maison.

Nom

Voir aussi *classes de mots, groupe du nom.*

 Classe les noms dans le tableau.

a) amour, colère, concierge, Louis, oiseau, poisson, poubelle, sac

Personnes	Animaux	Choses	Sentiments

b) banane, chasseur, danseuse, jambon, lion, plaisir, regret, singe

Personnes	Animaux	Choses	Sentiments

c) chagrin, école, forêt, loup, ours, peur, Ursule, directeur

Personnes	Animaux	Choses	Sentiments

2 Dans les textes suivants, entoure les noms.

a) Le professeur demande de dessiner un animal. Lancelot regarde sur la feuille de Louis. Il dessine le même chien. Louis est très en colère.

b) Tu ne dois pas copier mon dessin ! Tu peux dessiner un chat, un gorille ou un ouistiti ! Tu dessines un rond pour la tête et quatre bâtons pour les pattes.

c) Le professeur gronde Lancelot. Il l'envoie réfléchir dans le couloir. Lancelot craint de rencontrer le directeur.

d) Quand la cloche sonne, les élèves sortent dans la cour. Lancelot rentre dans la classe. Il ne pourra pas jouer au ballon.

e) À la fin de la journée, Lancelot court se cacher derrière un arbre. Il tire la langue à Louis. Il lui fait quarante grimaces.

f) Louis ne regarde pas ce fou. Il attend sa mère. Elle arrive en voiture. Elle lui apporte un gâteau à la framboise.

3 Dans les textes suivants, entoure les noms communs en bleu
et les noms propres en rouge.

a) Le père de Charles-Antoine s'appelle Pierre-Marie Archambault. Il fait beaucoup

de voyages. Il lui rapporte toujours un cadeau.

b) Monsieur Archambault est allé au Brésil, à Rio et à Belo. Il a acheté

un ballon pour son fils.

c) La grand-mère de Gonzales s'appelle Maria Fernandes. Elle habite en Espagne,

à Madrid. Chaque été, Gonzales et sa soeur vont passer leurs vacances chez elle.

d) La mère d'Olga s'appelle Natacha Boutenko-Lévesque. Elle est née en Russie,

à Moscou. Ses parents ont déménagé au Québec quand elle avait quinze ans.

Nombre

Voir aussi pluriel, singulier.

 Sous les images, écris **sing.** si le mot est au singulier, écris **plur.** si le mot est au pluriel.

feuilles _____

cochons _____

garçon _____

fille _____

crayons _____

livre _____

2 Entoure en bleu les noms et les déterminants qui sont au singulier.
Entoure en rouge les noms et les déterminants qui sont au pluriel.

Je connais un garçon qui aime les poules et les cochons.

Dans la cour de sa maison, il y a trois cochons et cinq poules.

Passé

Voir aussi futur, présent.

 Coche les phrases qui sont au passé.

 L'année dernière, Gonzales était dans ma classe.

En maternelle, Lulu était dans ma classe.

Cette année, Omar est dans ma classe.

Dans deux jours, j'aurai un chien.

Il y a cinq minutes, il dormait encore sur son bureau.

En ce moment, il parle dans son sommeil.

Dans cinq minutes, il se réveillera.

L'an prochain, j'irai voir ma tante en Grèce.

Ce matin, il fait un temps de printemps.

Avant-hier, j'ai perdu ma tuque.

Bientôt, je sortirai sans manteau.

Amédée, sors de la classe immédiatement !

À la même heure, hier, Amédée est sorti de la classe.

La prochaine fois, je serai plus prudent.

Hier, Lancelot et Amédée m'ont embêté toute la journée.

Maintenant, ils sont plus calmes.

Ne me dérangez pas, je suis au téléphone en ce moment.

J'arrive tout de suite.

Phrase

 Coche les phrases.

 La classe de Mélodie

 Les fenêtres de notre classe ne s'ouvrent jamais.

 Ursule a une petite souris dans sa poche.

 do, ré, mi, fa, sol, la, si, do.

 Le directeur est

 Je suis en retard ce matin.

 Louis est le chouchou de Mélodie.

 Olga s'ennuie de

 Omar a un rhume depuis

 Le frère Omar de

 Lulu parle sans arrêt.

 Dans le texte suivant, combien y a-t-il de phrases ?

Mélodie s'ennuie beaucoup de nous. Aujourd'hui, elle est venue dans notre classe pour la première fois. Nous étions très contents. Elle remplaçait notre professeur de musique qui était malade. Mélodie a l'air sévère, mais elle ne l'est pas du tout. Elle nous a dit qu'elle aimerait être encore avec nous. Elle a souri quand Ursule a sorti une petite souris grise de son étui à crayons. Lancelot lui a demandé qui était son chouchou cette année. Louis a rougi, car il était le chouchou de Mélodie l'an dernier.

Réponse : [   ] phrases

Pluriel

Voir aussi nombre.

1 Écris **un** ou **des** devant les noms suivants.

_____ hérisson	_____ camion	_____ jeudi	_____ moutons
_____ chanteurs	_____ sapins	_____ nom	_____ chemin
_____ hérissons	_____ chanteur	_____ sapin	_____ camions
_____ jeudis	_____ noms	_____ mouton	_____ chemins
_____ légume	_____ nuage	_____ lièvres	_____ cochons
_____ lions	_____ pains	_____ lit	_____ papier
_____ cochon	_____ papier	_____ lits	_____ lièvre
_____ nuages	_____ pain	_____ légumes	_____ lion
_____ crocodile	_____ problèmes	_____ trésor	_____ lutin
_____ déjeuner	_____ vent	_____ médecin	_____ fruit
_____ lutins	_____ fruits	_____ crocodiles	_____ déjeuners
_____ trésors	_____ vents	_____ problème	_____ médecins
_____ visage	_____ dimanches	_____ visages	_____ dimanche

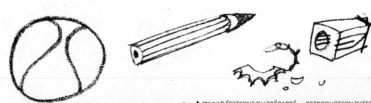

2 Écris le pluriel des noms suivants.

une bouche, des _____   une mouche, des _____

une voix, des _____   un bras, des _____

une montagne, des _____   une cabane, des _____

un samedi, des _____   un visage, des _____

un roi, des _____   un nez, des _____

un âne, des _____   une école, des _____

une rue, des _____   une robe, des _____

un fruit, des _____   une fête, des _____

un cinéma, des _____   une noix, des _____

un poème, des _____   un lapin, des _____

une lapine, des _____   une cousine, des _____

un palais, des _____   une fée, des _____

Ponctuation

Voir aussi *phrase*.

1   Lis le texte à haute voix en baissant le ton et en faisant une petite pause chaque fois que tu rencontres un point.

Je m'appelle Omar. Je suis assis à la droite d'Olga. Je suis un peu triste aujourd'hui. Mon meilleur ami a déménagé à Rimouski. Je m'ennuie beaucoup. Mon meilleur ami s'appelle Xavier Fontaine. Il est en deuxième année. Je le connais depuis mes premières journées à la garderie. Il était avec moi en maternelle. Xavier n'était pas dans ma classe l'an dernier. Il était dans la classe de madame Faucher. Je lui ai téléphoné hier. Rimouski est une ville au bord du fleuve.

2   Recopie les textes suivants en ajoutant les points qui manquent.

a) Je suis le meilleur ami d'Omar Je m'appelle Xavier J'habite maintenant très loin

_____

_____

_____

_____

b) Je suis en deuxième année Mon professeur s'appelle Julien Meilleur Il est aussi professeur d'éducation physique

_____

_____

_____

_____

Présent

Voir aussi *futur, passé.*

1 Coche les phrases qui sont au présent.

- L'année dernière, Gonzales était dans ma classe.
- En maternelle, Lulu était dans ma classe.
- Cette année, Omar est dans ma classe.
- Dans deux jours, j'aurai un chien.
- Il y a cinq minutes, il dormait encore sur son bureau.
- En ce moment, il parle dans son sommeil.
- Dans cinq minutes, il se réveillera.
- L'an prochain, j'irai voir ma tante en Grèce.
- Ce matin, il fait un temps de printemps.
- Avant-hier, j'ai perdu ma tuque.
- Bientôt, je sortirai sans manteau.
- Amédée, sors de la classe immédiatement !
- À la même heure, hier, Amédée est sorti de la classe.
- La prochaine fois, je serai plus prudent.
- Hier, Lancelot et Amédée m'ont embêté toute la journée.
- Maintenant, ils sont plus calmes.
- Ne me dérangez pas, je suis au téléphone en ce moment.
- J'arrive tout de suite.

Pronom

Voir aussi classes de mots.

1 Entoure le groupe du nom qui est remplacé par le pronom souligné.

a) Octave a perdu ses mitaines. <u>Il</u> est très malheureux.

b) Octave a perdu ses mitaines. <u>Elles</u> étaient dans les poubelles.

c) Olga est très timide. <u>Elle</u> rougit pour un rien.

d) Louis est très sage. <u>Il</u> est très bon en classe.

e) Joséphine n'écoute jamais. <u>Elle</u> a des mauvaises notes.

f) Les enfants n'écoutent pas le professeur. <u>Ils</u> sont trop fatigués.

g) Adèle aime la musique. <u>Elle</u> joue du violoncelle.

h) Les parents de Charles-Antoine partent en voyage. <u>Ils</u> vont en Italie.

i) Charles-Antoine restera avec sa gardienne. <u>Il</u> n'est pas content.

j) Sa mère lui rapportera un cadeau. <u>Elle</u> l'a promis.

k) Son père lui téléphonera tous les jours. <u>Il</u> l'a promis.

l) Charles-Antoine est triste. <u>Il</u> a un peu pleuré.

2 Remplace le groupe du nom souligné par le pronom qui convient : **il**, **elle**, **ils** ou **elles**.

a) <u>Louis</u> m'a invité. _____ habite une toute petite maison.

b) <u>Sa mère</u> est très gentille. _____ a fait un gros gâteau.

c) Il y a des <u>poules</u> dans son jardin. _____ ont pondu dix oeufs.

d) <u>Mon chien</u> est malade. _____ tousse.

e) <u>Mon chien</u> est vieux. _____ s'appelle Akki.

f) <u>Hélas</u> a mangé les livres de la bibliothèque. _____ a adoré ça.

g) Lulu a téléphoné à <u>Omar</u>. _____ a répondu en chantant.

h) <u>Olga</u> a peur dans le noir. _____ voit des monstres.

i) <u>Olga</u> exagère. _____ dort la lumière allumée.

j) Ursule a <u>un frère</u>. _____ s'appelle Octave.

k) <u>Octave</u> est très distrait. _____ oublie toujours tout.

l) <u>Adèle Nobel</u> connaît la musique. _____ joue du violoncelle.

m) <u>Le père d'Adèle</u> est aussi musicien. _____ joue du violon.

le prof

Singulier

Voir aussi *nombre*.

 Entoure les mots qui sont au singulier.

hérisson	camion	jeudi	moutons
chanteurs	sapins	nom	chemin
hérissons	chanteur	sapin	camions
jeudis	noms	mouton	chemins
crocodile	problèmes	trésor	lutin
déjeuner	vent	médecin	fruits
lutins	notre	crocodiles	déjeuners
trésors	vents	problème	médecins
visage	dimanches	visages	dimanche
âne	écoles	rues	robe
fête	père	cousins	cinéma
poème	mon	étoiles	canard

Écris **un** ou **des** devant les noms suivants.

_____ ami	_____ jardins	_____ oeuf	_____ chiens
_____ livre	_____ monstres	_____ musiciens	_____ violon
_____ abricots	_____ aéroports	_____ agneau	_____ animal
_____ balais	_____ bancs	_____ bal	_____ beignets
_____ calendrier	_____ cahiers	_____ castors	_____ chapeau
_____ cirque	_____ coeurs	_____ coins	_____ coq
_____ déserts	_____ dessert	_____ dessin	_____ docteur
_____ dragons	_____ dromadaire	_____ doigt	_____ donjon
_____ éléphant	_____ enfants	_____ élève	_____ étés
_____ écran	_____ facteurs	_____ fauteuils	_____ pneu
_____ fruits	_____ fil	_____ gants	_____ piano
_____ hamsters	_____ hiver	_____ immeuble	_____ insecte
_____ jouet	_____ journal	_____ jumeau	_____ jours

Sons : ai, è, ei, et

1   Lis les textes suivants à haute voix.

a) Ch**è**re Thér**è**se, le vétérin**ai**re est venu au chal**et** en juill**et** pour soigner ton chat Bébère, notre pensionn**ai**re. En m**ai**, il av**ai**t mangé tr**ei**ze souris et s**ei**ze b**ei**gn**et**s. Il a f**ai**t une indigestion et depuis il f**ai**t de l'urtic**ai**re.

b) La sem**ai**ne derni**è**re, Marjol**ai**ne Bouqu**et**, la fermi**è**re, nous a apporté soixante-s**ei**ze nav**et**s. Ma m**è**re fera de la cr**è**me de nav**et**. Pour s**ei**ze nav**et**s, elle ajoute tr**ei**ze verres de l**ai**t.

2   Complète les mots par les lettres **ai**, **è**, **ei** ou **et**.

Cette sem_____ne, c'est l'annivers_____re de ma marr_____ne Germ_____ne.

Mon p_____re lui donne un bracel_____. Ma m_____re lui donne une diz_____ne

de bouqu_____s. Mon fr_____re lui donne des bleu_____s. Ma soeur lui donne

tr_____ze p_____gnes. Moi, je lui donne s_____ze bal_____nes en l_____ne.

Mon grand-p_____re fera des _____les de poul_____ et des nav_____s.

Ma grand-m_____re fera de la cr_____me glacée aux fr_____ses. Nous boirons

du l_____t et du jus de r_____sin.

Sons : ail (aille)

1 Complète les noms par les lettres **ail** ou **aille**.

le berc_____   un ém_____   des brouss_____s

une mur_____   une trouv_____   une vol_____

un port_____   une can_____   un soupir_____

une p_____   une bat_____   une méd_____

un gouvern_____   des fianç_____s   des funér_____s

un chand_____   un dét_____   un évent_____

un épouvant_____   un vitr_____   une marm_____

de l'_____   un b_____   du bét_____

un attir_____   une c_____   une éc_____

une ent_____   une f_____   une m_____

une mitr_____   un poitr_____   une rac_____

une ret_____   un trav_____   des entr_____s

Sons : an, en

1 Lis les textes suivants à haute voix.

a) Charles-**An**toine est né au Lib**an**. Il est brill**an**t et charm**an**t. Ses par**en**ts sont nés au Soud**an**. Ils étaient pays**an**s. Ils adorent le parmes**an**. Ses cousins Alb**an**, Flori**an** et Gontr**an** ne sont pas des **an**ges. L'**an** dernier, ils ont défoncé le div**an** des Carign**an**.

b) Clém**en**ce est née **en** Prov**en**ce. Ses par**en**ts disent qu'elle est g**en**tille et t**en**dre. Beaucoup de g**en**s p**en**sent que c'est un m**en**songe. Elle est plutôt l**en**te. Elle n'est jamais cont**en**te. Mais ses cousines Laur**en**ce et Flor**en**ce sont très différ**en**tes.

2 Complète les mots par les lettres **an** ou **en**.

a) Où est Charles-_____toine, dans la t_____te ou sous le div_____?

b) Comm_____t s'appelle son cousin, Trist_____ ou Alb_____?

c) Quel métier font ses par_____ts, ils sont artis_____s ou pays_____s?

d) Louis est cont_____t, il va passer les vac_____ces chez sa t_____te.

e) Amédée n'est pas un _____ge, il dit souv_____t des m_____songes.

f) Sa mam_____ p_____se que c'est un _____fant charm_____t.

Sons : c dur, c doux

Voir aussi *cédille*.

 Lis chaque mot à haute voix. Souligne en bleu les mots qui contiennent un **c** dur. Souligne en rouge les mots qui contiennent un **c** doux.

un médecin	un calendrier	un cahier	un castor
un cirque	un coq	un coin	une cabane
un cinéma	un camion	une cave	un caillou
une cape	une carotte	une ceinture	un cerf
une citrouille	un coffre	une cerise	un clown
une colère	un concombre	une corde	un costume

 Lis les phrases suivantes à haute voix.

a) Lancelot a lancé un caillou dans un carreau d'une fenêtre de l'école.

b) Au cinéma, la corde à danser de Lucie s'est cassée.

c) En octobre, les coccinelles envahissent notre cave.

d) Dans notre camion ouvert, un vent doux caresse mon cou.

e) Il y a un canard, un castor, un cochon et un coq dans la cour.

f) Il y a des concombres dans la casserole de la cuisinière.

Sons : ch

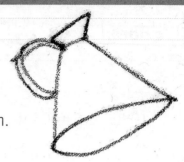

1 Lis les phrases suivantes à haute voix.

a) À Saint-Joa**ch**im, **Ch**arles-Antoine a eu du **ch**agrin.

b) À **Ch**ibougamau, il a eu très **ch**aud.

c) Au lac Bou**ch**ette, il a vu une **ch**ouette.

d) À **Ch**apais, il a récité un **ch**apelet.

e) À la baie des **Ch**aleurs, il a rencontré des **ch**asseurs.

f) Au lac Va**ch**er, il s'est **ch**amaillé avec **Ch**arles-Aimé.

g) À **Ch**arlemagne, il a bu du **ch**ampagne.

h) À Saint-Mala**ch**ie, il a cru qu'il était à **Ch**ambly.

i) À Des**ch**ambault, il a rêvé à deux **ch**ameaux.

j) À Bois**ch**atel, il a vu des **ch**andelles.

k) À Cap-**Ch**at, il a mangé du **ch**ocolat.

l) À **Ch**arlesbourg, il a rencontré Léo **Ch**alifour.

m) Aux **ch**utes Montmorency, il a apprivoisé une **ch**auve-souris.

n) À **Ch**amplain, il a perdu son **ch**emin.

o) Au lac Et**ch**emin, il s'est fait mordre par un **ch**ien.

p) À Ver**ch**ères, il a retrouvé sa **ch**aumière.

q) À **Ch**âteau-Ri**ch**er, il s'est fait **ch**ou**ch**outer.

r) À Yama**ch**i**ch**e, il a cou**ch**é dans une ni**ch**e.

s) Aux Mé**ch**ins, il a écouté du **Ch**opin.

t) À La**ch**ute, il a dormi comme une bû**ch**e.

Sons : é, er

1 Lis les textes suivants à haute voix.

a) Jos**é**phine est arriv**é**e en janvi**er** ou en f**é**vri**er** de l'an pass**é**. Elle n'**é**coute jamais à l'**é**cole. Elle va doubl**er** sa deuxième ann**é**e.

b) Le premi**er** jour de d**é**cembre, l'**é**pici**er** et le jardini**er** sont venus à l'**é**cole pour parl**er** de leur m**é**ti**er**.

c) Le plombi**er** est venu chang**er** l'**é**vi**er**. Il a pos**é** son **é**chelle sous l'escali**er**, il a tr**é**buch**é** et il est tomb**é**. Nous avons appel**é** les pompi**er**s.

2 Complète par les lettres **é** ou **er**.

a) Assise dans l'escali_____, Jos_____phine regarde l'_____toile du berg_____.

b) L'ét_____, le bouch_____ t_____léphone à l'épici_____ pour lui offrir un caf_____.

c) Le derni_____ jour de l'ann_____e, nous mangerons un gros gâteau carr_____.

d) Un fermi_____ est venu à l'_____cole parl_____ de son méti_____.

e) Il nous a donné un peu de fumi_____ pour notre pommi_____.

f) Enlève tes souli_____s, mon planch_____ est cir_____ .

g) Un sorci_____ a chang_____ mon colli_____ en souli_____.

Sons : eil (eille)

1 Complète les noms par les lettres **eil** ou **eille**.

une ab_____   un cons_____   une bout_____   une corb_____

le somm_____   une merv_____   un appar_____   une corn_____

un ort_____   une or_____   un sol_____   un rév_____

2 Écris **un** ou **une** devant les noms suivants.

_____ bouteille   _____ orteil   _____ abeille   _____ réveil

_____ merveille   _____ corbeille   _____ appareil   _____ oreille

_____ sommeil   _____ soleil   _____ corneille   _____ conseil

Sons : el (elle)

 Complète les noms par les lettres **el** ou **elle**.

une voy_____   un manu_____   un hôt_____   un ci_____

une chand_____   une fic_____   une rond_____   du mi_____

un caram_____   une étinc_____   la vaiss_____   un rapp_____

une coccin_____   une nouv_____   une bret_____   une p_____

une chap_____   une hirond_____   un arc-en-ci_____   un colon_____

un app_____   un pluri_____   le dég_____   une fem_____

 Écris **un** ou **une** devant les noms suivants.

_____ ciel   _____ hôtel   _____ rappel   _____ rondelle

_____ manuel   _____ hirondelle   _____ ficelle   _____ voyelle

_____ bretelle   _____ étincelle   _____ chandelle   _____ nouvelle

_____ caramel   _____ coccinelle   _____ chapelle   _____ pelle

_____ demoiselle   _____ arc-en-ciel   _____ dégel   _____ cervelle

_____ appel   _____ pluriel   _____ colonel   _____ échelle

Sons : esse, ette

1 Lis les phrases suivantes à haute voix.

a) La maîtr**esse** appelle Lulu sa petite diabl**esse**.

b) Paul**ette**, la mère de Lulu, parle toujours de sa jeun**esse**.

c) Dans sa sag**esse**, elle ne parle jamais de ses prou**esse**s.

d) Juli**ette** a raté son omel**ette**.

e) Bernad**ette** a payé sa d**ette** à Pierr**ette**.

f) La comt**esse** a fait un excès de vit**esse**.

g) Gin**ette** est chou**ette** sur sa bicycl**ette**.

2 Complète les mots par les lettres **esse** ou **ette**.

a) La rich_____ n'est rien sans la gentill_____, dit la poét_____.

b) La mouf_____ fait la coqu_____, elle se cache dans la brou_____.

c) Nous avons gagné nos épaul_____s, dit Lancelot en levant sa fourch_____.

d) Omar a laissé une boul_____ dans son assi_____.

e) Alou_____, dit Pierrette d'une voix flu_____.

f) La vieill_____ est la sag_____, dit Oreste.

Sons : eu

 Lis les phrases suivantes à haute voix.

a) Les yeux de madame Beaulieu sont gris bleu.

b) Lulu dit qu'Adèle est amoureuse de Maxime Fauteux.

c) Adèle est furieuse, elle l'a traitée d'envieuse.

d) Louis est fiévreux, sa mère est soucieuse.

e) Charles-Antoine est malheureux, il a perdu son crayon feutre.

f) Gonzales est chanceux, il gagne à tous les jeux.

g) Le concierge est heureux, il a une nouvelle tondeuse.

h) Joséphine est nerveuse, la dictée est jeudi.

i) Amédée est affreux, mais il ne veut pas se faire couper les cheveux.

j) Le concierge est radieux, il a une nouvelle souffleuse.

k) Louis est toujours silencieux et sérieux.

l) La cuisinière fait des plats délicieux, c'est un vrai cordon-bleu.

m) Elle fait des gâteaux moelleux et des biscuits merveilleux.

n) Charles-Antoine n'est pas peureux, mais il dort avec une veilleuse.

o) De nombreux élèves sont malades, ils ont mangé trop de bleuets.

p) Olga veut être danseuse.

q) Joséphine est un peu paresseuse.

r) Au déjeuner, Omar a mangé du fromage trop vieux.

s) Heu, heu, murmure Joséphine, qui répond comme elle peut.

Sons : euil (euille)

1 Complète les mots par les lettres **euil** ou **euille**.

un écur_____   un chevr_____   un s_____

un faut_____   un portef_____   un d_____

une f_____   un millef_____   un tr_____

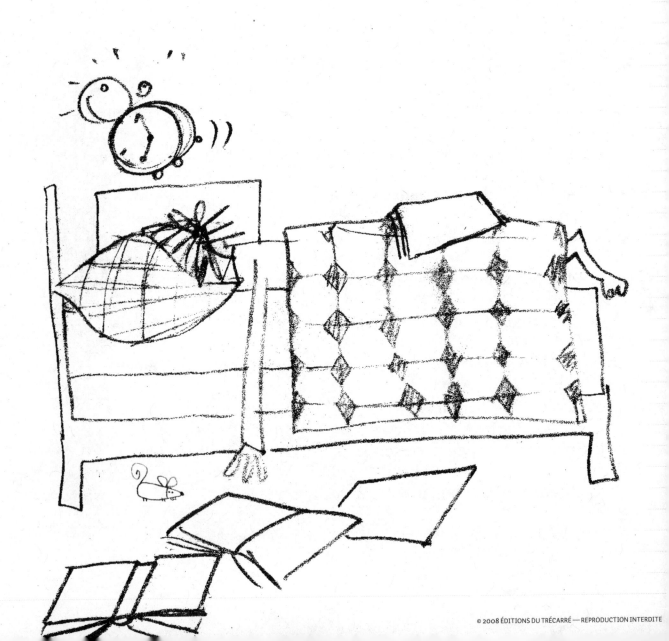

Sons : g dur, g doux

 Lis chaque mot, puis souligne-le en bleu s'il contient un **g** dur, souligne-le en rouge s'il contient un **g** doux.

un galop	le goût	la langue	un légume
un régal	un régime	une vague	un géant
un ongle	une bagarre	le rouge	un collège
une glace	une girafe	un village	un garçon
une galette	un genou	une baguette	une cage
un règlement	un gourmand	une guêpe	une figure
un gâteau	un escargot	la magie	un singe
un glaçon	une aiguille	la neige	un guépard

2 Lis le texte suivant à haute voix.

Omar, c'est tout un personna**g**e. En voya**g**e, il apporte dans ses ba**g**a**g**es des lé**g**umes, des a**g**rumes, un ra**g**oût pour le **g**oût et un **g**i**g**ot. Et comme amuse-**g**ueule, des escar**g**ots. Omar est plutôt **g**ourmand.

Sons : gn

1. Lis les textes suivants à haute voix.

a) Les ensei**gn**antes et les ensei**gn**ants de l'école sont priés d'accompa**gn**er les enfants au salon des épar**gn**ants qui se tient cette année à Charlema**gn**e. Le salon des épar**gn**ants a été fondé l'an dernier... **gn**an**gn**an... **gn**an**gn**an...

b) Paul Cari**gn**an est vi**gn**eron à Montma**gn**y. Il a visité l'Allema**gn**e, la Polo**gn**e et l'Espa**gn**e. Il était accompa**gn**é de son chien Mi**gn**on.

c) I**gn**ace habite à la monta**gn**e en Grande-Breta**gn**e. Il pêche à la li**gn**e, il mange des bei**gn**ets, mais il s'ennuie de Repenti**gn**y.

d) Profitez de la campa**gn**e, venez vous bai**gn**er au lac des Deux-Monta**gn**es. Pour tous rensei**gn**ements... **gn**an**gn**an**gn**an...

e) Omar mange de tout, mais il déteste les champi**gn**ons et les oi**gn**ons. Ça le rend gro**gn**on.

f) A**gn**ès Montai**gn**e a ga**gn**é un ma**gn**ifique pei**gn**e si**gn**é par un grand sei**gn**eur de Sardai**gn**e.

Sons : ille

1 Lis les phrases suivantes à haute voix.

a) Ce matin, le remplaçant était en espad**rille**s.

b) Il était habillé en guen**ille**s.

c) Le remplaçant cherche la bisb**ille**.

d) Il a attrapé une angu**ille** à Sainte-Cam**ille**.

e) Il a adopté une petite f**ille** de Cast**ille**.

f) Il a fait partie d'une escad**rille**.

g) Il nage comme une torp**ille**.

h) Ne cueillez pas de jonqu**ille**s près de la g**rille**.

i) La cour est remplie de chen**ille**s.

j) J'en vois une qui monte sur ta chev**ille**.

k) N'oublie pas de mettre tes céd**ille**s.

l) La fam**ille** de Charles-Antoine s'éparp**ille**.

m) Sa mère s'hab**ille** à Man**ille**.

n) Son père roup**ille** aux Ant**ille**s.

o) L'hiver, elle fait un saut à Sév**ille**.

p) Il passe l'été à Sainte-Pétron**ille**.

q) Il gasp**ille**, elle b**rille**.

r) Il s'égos**ille**, elle sourc**ille**.

s) Il adore la van**ille**, elle boit de la camom**ille**.

Sons : in, ain, ein

 1 Lis les textes suivants à haute voix.

a) Mon vois**in** a des lap**in**s dans son jard**in**. Tous les mat**in**s, ils viennent manger du p**ain** dans sa m**ain**.

b) Dem**ain**, Mart**in** prend le tr**ain**. Il va chez son cous**in** Al**ain**. Ils boiront du jus de rais**in**s et feront des cabanes dans les sap**in**s.

c) Amédée fait un dess**in**. Il dess**in**e un mar**in** et un poul**ain** qui galope sur un petit chem**in**. Son pantalon et sa c**ein**ture sont pl**ein**s de p**ein**ture. M**ain**tenant, il doit prendre un bon b**ain**.

2 Complète les mots par les lettres **in**, **ain** ou **ein**.

un lap_____   du rais_____   un tr_____

du p_____   un jard_____   le mat_____

un sap_____   un vois_____   un cous_____

un dess_____   une m_____   un chem_____

un mar_____   un poul_____   dem_____

un b_____   une c_____ture   m_____tenant

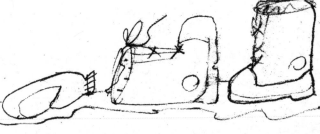

Sons : o, au, eau

1 Lis les textes suivants à haute voix.

a) **Au**jourd'hui, nous avons un nouv**eau** bat**eau**. Il est r**o**se et j**au**ne. Je le trouve très gr**o**s et très b**eau**.

b) Cet **au**t**o**mne, je mettrai un mant**eau** ch**au**d. J'irai réc**o**lter les poir**eau**x, je fermerai les rid**eau**x et j'irai faire d**o**d**o**.

c) Cl**au**de est venu en m**o**t**o**. Il a dessiné trois ois**eau**x **au** tabl**eau** : un moin**eau**, un étourn**eau** et un petit c**o**rb**eau**.

2 Complète par les lettres **o**, **au** ou **eau**.

un bat_____   un pian_____   gr_____s

un mant_____   un tabl_____   r_____se

un rid_____   une m_____to   j_____ne

un ois_____   un _____tobus   ch_____d

un gât_____   un moin_____   nouv_____

un cad_____   une ép_____le   b_____

un f_____teuil   de l'_____   un lavab_____

Sons : oi

1 Lis les textes suivants à haute voix.

a) Omar adore les poires et les noix. Parfois, le soir, il a soif et va boire du jus de framboise avant de dire bonsoir.

b) Charles-Antoine dit qu'il a un cheval de bois et trois poissons chinois dans son couloir. Moi, je ne le crois pas.

c) Au mois de juillet, Louis a le droit de se coucher tard. Il monte sur le toit pour voir les étoiles filantes.

d) La pauvre Olga est tombée de la balançoire. Elle a une grosse tache noire sur sa robe à pois. Elle s'est fait mal aux doigts.

e) Trois fois par an, le roi organise un tournoi. On doit apprivoiser les oies. On peut boire du jus de poire. Les villageois sont dans la joie.

f) Le chien de Lulu met des poils partout. On en retrouve dans les tiroirs, dans les armoires et sur les coussins de soie.

g) Quand les oiseaux volent bas, le soir, cela veut dire qu'il va pleuvoir.

Sons : on

 Lis les textes suivants à haute voix.

a) Pour ma fête, nous danserons dans le salon. Nous jouerons au ballon et nous sauterons jusqu'au plafond.

b) Quand nous irons dans la montagne, nous ramasserons des champignons et nous verrons des hérissons.

c) Lancelot dit qu'il mange de la confiture au savon. Ce garçon raconte des mensonges.

d) Mon oncle fait de bons biscuits au citron. Il nous donne du jambon au melon et des tonnes de bonbons.

e) Amédée dessine un mouton. Il a de gros yeux ronds et un menton trop long. Il a plutôt l'air d'un monstre.

f) Nous partons en avion pour un long voyage. J'ai oublié le nom du pays où nous allons. Je crois que c'est le Japon.

g) Tout le monde doit fabriquer des petits cochons ronds en carton. Nous mettrons les onze plus jolis sur le mur du salon.

h) Le concierge de l'école a trouvé des vieux bonbons sous le balcon. Il n'est pas content.

Sons : ph

1 Lis les phrases suivantes à haute voix.

a) **Ph**ilippe, le cousin de Mélodie, est **ph**otogra**ph**e.

b) Il prend les enfants de l'école en **ph**oto.

c) Deux filles de la classe, **Ph**ilomène et Al**ph**onsine, lui offrent des fleurs.

d) José**ph**ine déteste répondre au télé**ph**one.

e) Elle préfère parler avec son dau**ph**in en fourrure.

f) Par la fenêtre de la ferme, on voit les **ph**oques jouer dans l'eau.

g) Il est parti chez le **ph**armacien sans éteindre les **ph**ares de la voiture.

h) Amédée fait des fautes d'orthogra**ph**e à toutes les **ph**rases.

i) Parfois, ce fou me traite de gros élé**ph**ant en pleine face.

2 Complète les mots par les lettres **ph** ou **f**.

____oque	télé____one	____oto	____are
dau____in	élé____ant	orthogra____e	____ace
____rase	____armacien	photogra____e	____leur
en____ant	____aute	____enêtre	par____ois
____ourrure	____ou	____ille	____erme

Sons : s = z

1   Lis les textes suivants à haute voix.

a) La cou**s**ine de Jo**s**éphine fait ses vali**s**es. Elle part en Espagne samedi soir. Elle a promis de lui rapporter un oi**s**eau.

b) Ursule a trois souris ro**s**es qui s'appellent Li**s**ette, Fri**s**ette et Mu**s**ette. Elle a trois souris gri**s**es qui s'appellent Éli**s**e, Deni**s**e et Tami**s**e.

c) Omar veut être cui**s**inier. Dans sa mai**s**on, il aura une cui**s**ine immense. Il fera des conserves de frai**s**es et de framboi**s**es.

d) Ursule est furieu**s**e. Lancelot po**s**e ses pieds sales sur sa chai**s**e. Elle refu**s**e de s'asseoir à côté de ce garçon si niai**s**eux.

e) Olga n'o**s**e pas rendre vi**s**ite à son voi**s**in I**s**idore. Il est éleveur de bi**s**on. Il a l'air sévère et ne dit jamais bonsoir.

f) Le ca**s**ier d'Amédée est très en dé**s**ordre. Il est plein de pain moi**s**i, de vieux suçons et de bouts de réglisse.

g) C'est la belle sai**s**on. Le concierge de l'école tond la pelou**s**e avec sa nouvelle tondeu**s**e. Il a beaucoup de plai**s**ir. Il est heureux comme un pinson.

Syllabe

 Réécris les mots en séparant les syllabes par une barre.

lapin

_____

première

_____

promenade

_____

chocolat

_____

tomate

_____

fromage

_____

lundi

_____

crocodile

_____

téléphone

_____

2 Dans la phrase suivante, surligne en jaune les mots d'une syllabe,
en bleu les mots de deux syllabes, en vert les mots de trois syllabes
et en rose les mots de quatre syllabes.

Ursule parle au téléphone avec Lulu et ne veut pas ranger sa chambre.

2ᵉ période

MATHÉMATIQUE

Addition
Voir aussi soustraction.

1 Observe les illustrations, puis remplis les cases.

a)

 + = ▢

▢ ▢

b)

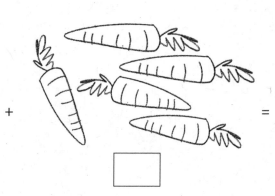 +  = ▢

▢ ▢

c)

 + = ▢

▢ ▢

d)

 + 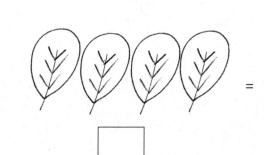 = ▢

▢ ▢

2 Remplis les cases par des points et par des nombres. Inspire-toi de l'exemple.

a)

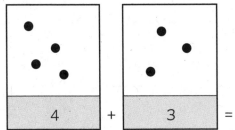

4 + 3 = 7

3 + 4 = ☐

b)

6 + 3 = ☐

3 + 6 = ☐

c)

5 + 5 = ☐

7 + 3 = ☐

d)

6 + 6 = ☐

4 + 7 = ☐

e)

8 + 4 = ☐

5 + 7 = ☐

3 Trouve le terme manquant.

17	15	16	20
+ ☐	+ ☐	+ ☐	+ ☐
19	19	19	25

25	34	50	72
+ ☐	+ ☐	+ ☐	+ ☐
30	46	62	85

53	12	16	23
+ ☐	+ ☐	+ ☐	+ ☐
65	65	39	39

☐	☐	☐	☐
+ 15	+ 20	+ 35	+ 42
19	26	38	47

☐	☐	☐	☐
+ 20	+ 12	+ 23	+ 44
50	32	45	88

 4 Sans faire les calculs, entoure d'une même couleur les additions qui ont la même somme.

a) 4 + 6   16 + 3   6 + 4   23 + 5   3 + 16   5 + 23

b) 20 + 15   35 + 53   18 + 81   15 + 20   53 + 35   81 + 18

c) 35 + 15   28 + 32   74 + 47   32 + 28   15 + 35   47 + 74

Effectue les additions. Utilise la méthode de ton choix.

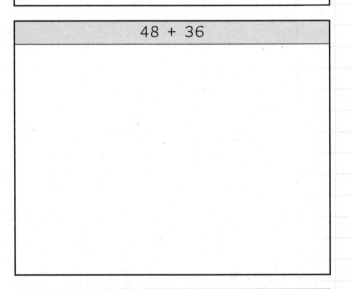

10 + 15	23 + 32

25 + 17	48 + 36

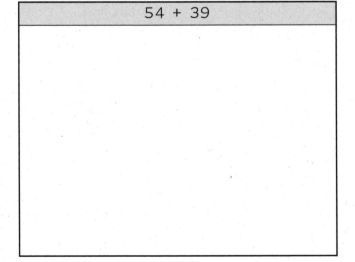

54 + 39	65 + 35

124 + 137	236 + 329

245 + 136	607 + 243

271 + 329	354 + 447

Problèmes

a) Aujourd'hui, à l'école, 36 élèves ont un rhume et 17 ont la varicelle. Combien d'élèves sont malades en tout ?

Démarche	Réponse

b) Pendant le cours de musique, Lancelot a lancé 18 avions en papier à travers la classe. Amédée a lancé 15 avions de plus que Lancelot. Combien d'avions Amédée a-t-il lancés ?

Démarche	Réponse

c) Dans la boîte des objets perdus, il y a 25 mitaines, 4 espadrilles et 12 chandails. Combien y a-t-il d'objets dans la boîte ?

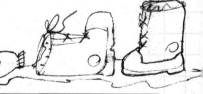

Démarche	Réponse

Carré

Voir aussi *figure plane*.

1 Combien y a-t-il de carrés dans ce dessin ?

| | carrés

2 Trace un carré dans chacune des grilles.

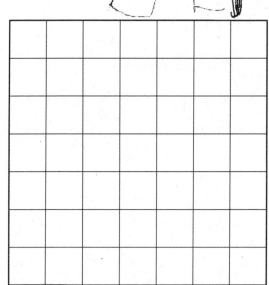

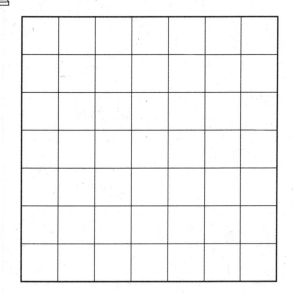

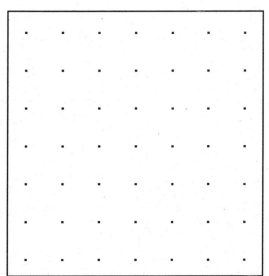

Centaine

Voir aussi décomposer les nombres, dizaine, unité.

1 Fais des groupements par cent, puis par dix et remplis les cases.

a)

centaine de souris	+	dizaines de souris	+	souris	=	souris
100	+	30	+	5	=	135

b)

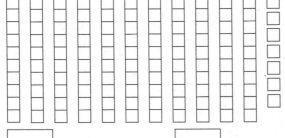

centaine	+	dizaine	+	unités	=	unités
100	+	1	+	7	=	117

c)

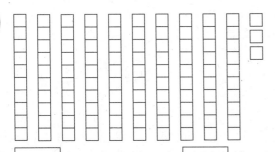

centaine	+	dizaine	+	unités	=	unités
100	+	0	+	3	=	103

d)

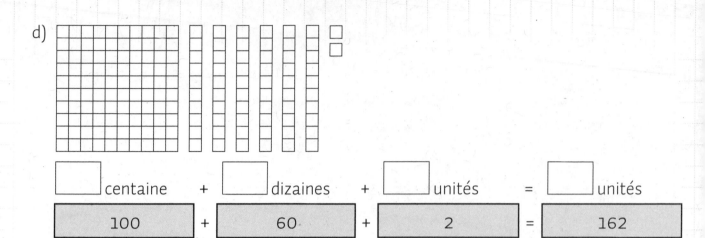

	centaine	+		dizaines	+		unités	=		unités
100		+	60		+	2		=	162	

e)

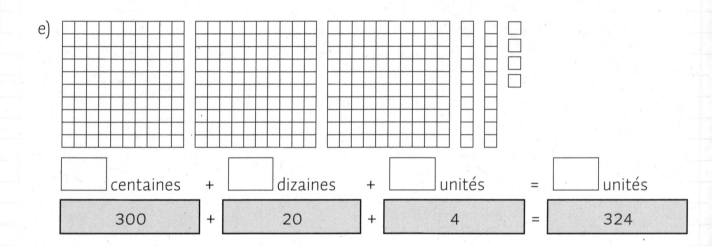

	centaines	+		dizaines	+		unités	=		unités
300		+	20		+	4		=	324	

f)

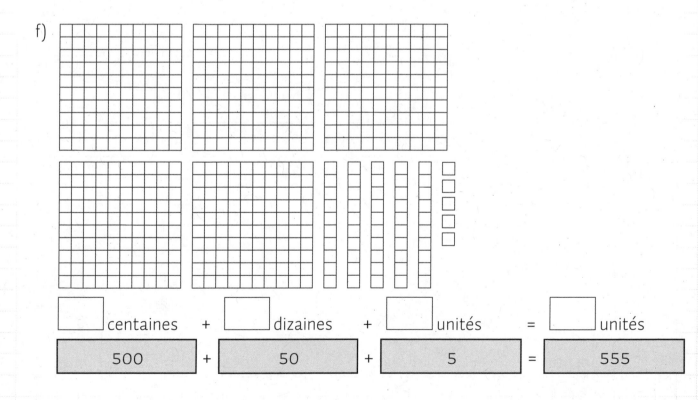

	centaines	+		dizaines	+		unités	=		unités
500		+	50		+	5		=	555	

2 Écris le nombre qui convient.

a) 2 centaines + 4 dizaines + 3 unités = ☐

b) 4 centaines + 2 dizaines + 3 unités = ☐

c) 5 centaines + 0 dizaine + 1 unité = ☐

3 Écris dans les cases le nombre d'unités que représente chaque chiffre.

111
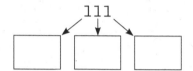

325
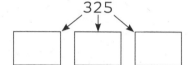

235
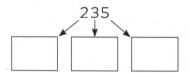

532
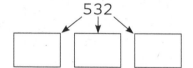

999
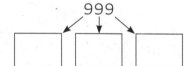

846
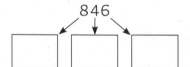

401
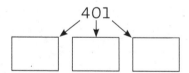

250
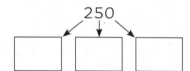

700
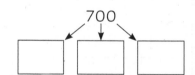

4 Dans les nombres suivants, souligne, quand c'est possible, le chiffre à la position des centaines.

5	187	762	99	437	903	18

625	200	549	45	7	378	505

Cercle

Voir aussi figure plane.

 Combien y a-t-il de cercles dans chaque dessin ?

a)

☐ cercles

b)

☐ cercles

c)

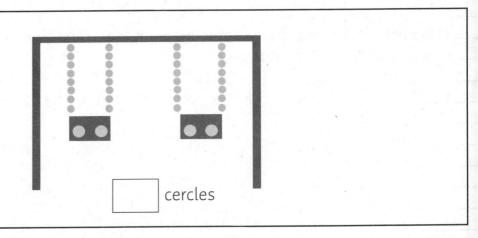

☐ cercles

Comparer les nombres

Voir aussi centaine, dizaine, unité.

1 Écris le nombre qui vient immédiatement **avant**.

| ☐ 30 | ☐ 50 | ☐ 80 | ☐ 90 |

| ☐ 100 | ☐ 110 | ☐ 200 | ☐ 300 |

| ☐ 220 | ☐ 710 | ☐ 250 | ☐ 890 |

| ☐ 900 | ☐ 980 | ☐ 770 | ☐ 459 |

2 Écris le nombre qui vient immédiatement **après**.

| 99 ☐ | 200 ☐ | 199 ☐ | 409 ☐ |

| 309 ☐ | 594 ☐ | 659 ☐ | 789 ☐ |

| 819 ☐ | 979 ☐ | 810 ☐ | 350 ☐ |

| 499 ☐ | 369 ☐ | 749 ☐ | 598 ☐ |

3 Écris dans les cases le signe >, < ou =.

10 ☐ 20   20 ☐ 10   20 ☐ 20

29 ☐ 30   78 ☐ 87   50 ☐ 49

76 ☐ 67   88 ☐ 89   60 ☐ 56

37 ☐ 37   25 ☐ 29   99 ☐ 100

100 ☐ 200   300 ☐ 200   250 ☐ 250

105 ☐ 115   320 ☐ 230   230 ☐ 302

516 ☐ 615   299 ☐ 291   880 ☐ 880

514 ☐ 495   909 ☐ 909   890 ☐ 980

101 ☐ 110   202 ☐ 220   599 ☐ 600

Cône

Voir aussi solide.

 Entoure les objets qui ressemblent à un cône.

2 Entoure les figures planes qui permettent de construire un cône.

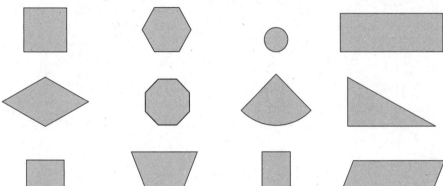

3 Écris les mots qui conviennent, puis réponds aux questions.

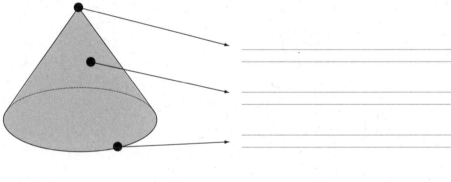

a) Combien d'arêtes possède un cône ?

b) Combien de faces possède un cône ?

c) Combien de sommets possède un cône ?

Cube

Voir aussi solide.

 Entoure les objets qui ressemblent à un cube.

2 Entoure les figures planes qui permettent de construire un cube.

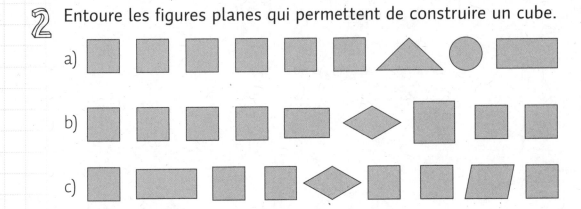

a)

b)

c)

d)

3 Écris les mots qui conviennent, puis réponds aux questions.

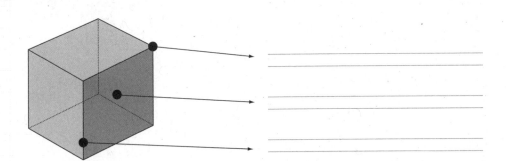

a) Combien de faces possède un cube ?

b) Combien de sommets possède un cube ?

c) Combien d'arêtes possède un cube ?

Cylindre

Voir aussi solide.

 Entoure les objets qui ressemblent à un cylindre.

 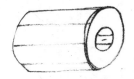

 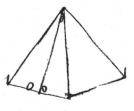 

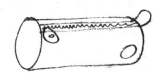 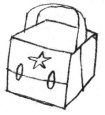 

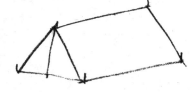

2 Entoure les figures planes qui permettent de construire un cylindre.

a)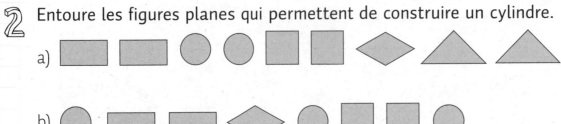

b)

c)

d)

e)

3 Écris les mots qui conviennent, puis réponds aux questions.

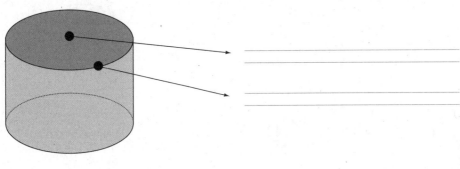

_____
_____
_____

a) Combien de faces possède un cylindre ? ☐

b) Combien de sommets possède un cylindre ? ☐

c) Combien d'arêtes possède un cylindre ? ☐

Décomposer les nombres

Voir aussi centaine, dizaine, unité.

1 Décompose les nombres.

17 = ☐ + 7   54 = ☐ + 4   78 = ☐ + 8

36 = 30 + ☐   89 = 80 + ☐   31 = 30 + ☐

35 = ☐ + 15   47 = 30 + ☐   55 = ☐ + 15

125 = 100 + ☐ + 5   317 = 300 + ☐ + 7

543 = 500 + ☐ + 3   233 = 200 + ☐ + 3

845 = 800 + ☐ + 5   652 = 600 + ☐ + 2

225 = ☐ + 20 + 5   512 = ☐ + 10 + 2

462 = ☐ + 60 + 2   233 = ☐ + 200 + 3

950 = ☐ + 50 + 0   520 = ☐ + 500 + 0

352 = 200 + ☐ + 2   317 = 200 + ☐ + 7

325 = 200 + ☐ + 5   275 = 200 + ☐ + 15

438 = 300 + ☐ + 8   535 = 300 + ☐ + 25

2 Remplis les cases.

25 = ☐ dizaines + 5 unités   87 = 8 dizaines + ☐ unités

84 = 7 dizaines + ☐ unités   45 = 3 dizaines + ☐ unités

35 = ☐ dizaines + 15 unités   68 = ☐ dizaines + 18 unités

425 = ☐ dizaines + 5 unités   236 = ☐ dizaines + 6 unités

528 = ☐ dizaines + 8 unités   750 = ☐ dizaines + 0 unité

125 = 1 centaine + ☐ dizaines + 5 unités

335 = 3 centaines + ☐ dizaines + 15 unités

425 = ☐ centaines + 1 dizaine + 15 unités

342 = 3 centaines + ☐ dizaines + 12 unités

3 Recompose les nombres.

300 + 20 + 5 = ☐   400 + 50 + 7 = ☐   200 + 10 + 3 = ☐

100 + 120 + 3 = ☐   200 + 230 + 6 = ☐   400 + 150 + 8 = ☐

4 + 200 + 130 = ☐   300 + 6 + 20 = ☐   400 + 12 + 50 = ☐

Division

1 Observe les illustrations, puis remplis les cases.

a)

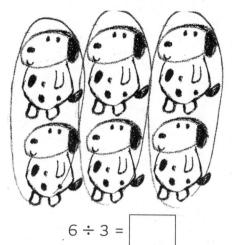 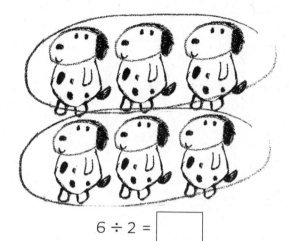

$6 \div 3 = \boxed{}$ $6 \div 2 = \boxed{}$

b)

$8 \div 4 = \boxed{}$ $8 \div 2 = \boxed{}$

c)

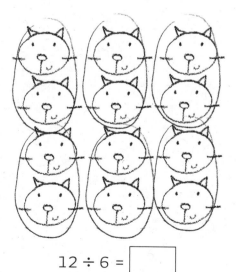 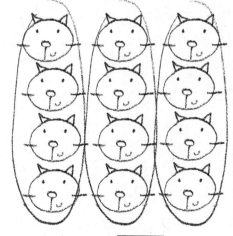

$12 \div 6 = \boxed{}$ $12 \div 3 = \boxed{}$

2 Fais les partages demandés, puis remplis les cases.

a) 2 parts égales

$4 \div \boxed{} = \boxed{}$

b) 3 parts égales

$6 \div \boxed{} = \boxed{}$

3 **Problème**

Ursule ne veut pas partager 6 cerises avec son frère.

Leur mère arrive en disant : « Bon ! Ça suffit ! » Puis elle sépare

les 6 cerises en 2 parts égales. Combien de cerises Ursule aura-t-elle ?

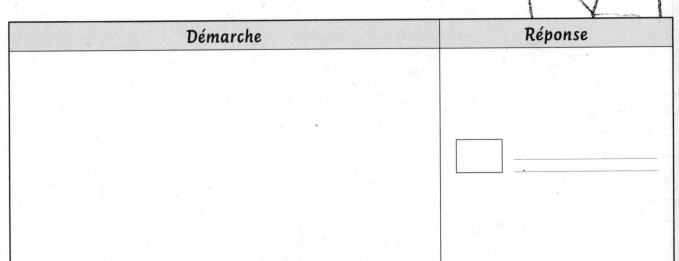

Démarche	Réponse

Dizaine

Voir aussi centaine, décomposer les nombres, unité.

1 Fais des groupements par dix et remplis les cases.

a)

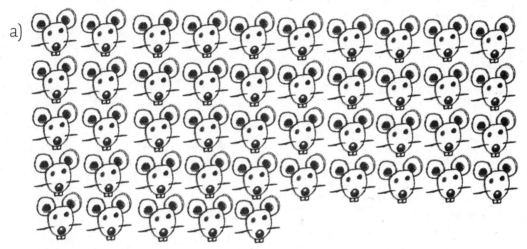

	dizaines de souris	+		souris	=		souris
40		+	5		=	45	

b)

	dizaines	+		unités	=		unités
40		+	5		=	45	

c)

	dizaines	+		unités	=		unités
40		+	5		=	45	

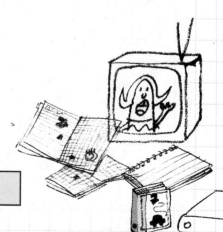

d)

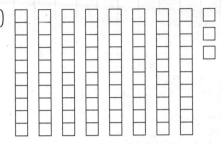

| | dizaines | + | | unités | = | | unités |

| 80 | + | 3 | = | 83 |

2 Écris le nombre qui convient.

3 dizaines + 5 unités = ☐   7 dizaines + 2 unités = ☐

5 dizaines + 3 unités = ☐   2 dizaines + 7 unités = ☐

6 dizaines + 9 unités = ☐   4 dizaines + 8 unités = ☐

3 Complète avec les dizaines ou les unités.

56 = ☐ dizaines + 6 unités

75 = ☐ _____ + 5 unités

39 = 3 _____ + 9 _____

52 = ☐ _____ + 2 _____

4 Écris dans les cases le nombre d'unités que représente chaque chiffre.

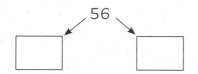

56

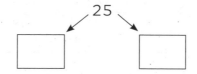

65

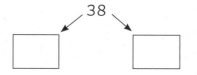

39

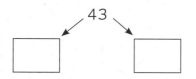

52

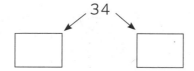

25

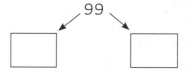

38

43

34

99

41

50

80

5 Dans les nombres suivants, souligne, quand c'est possible, le chiffre à la position des dizaines.

8	26	45	17	27	4	77
48	80	720	123	54	258	789
32	6	102	304	400	358	207

Figure plane

Voir aussi carré, cercle, losange, rectangle, triangle.

 Entoure les figures planes.

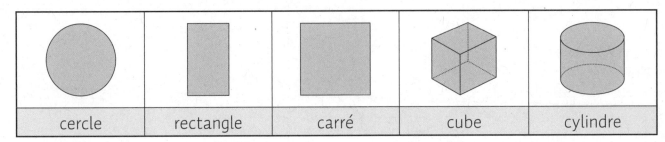

| cercle | rectangle | carré | cube | cylindre |

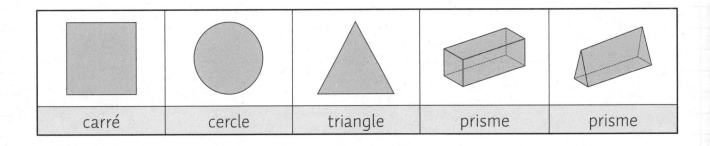

| carré | cercle | triangle | prisme | prisme |

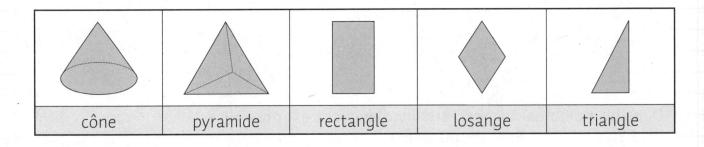

| cône | pyramide | rectangle | losange | triangle |

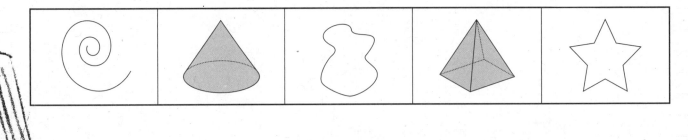

2 Sur le dessin ci-dessous, colorie les carrés en bleu, les rectangles en orange, les triangles en rouge, les losanges en vert et les cercles en brun.

3 Entoure en bleu les figures planes qui ont trois côtés. Entoure en rouge celles qui ont quatre côtés.

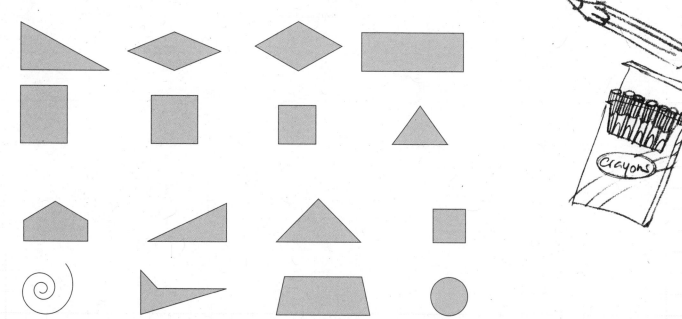

Fraction

Voir aussi division.

 Pour chaque figure, entoure la fraction représentée.

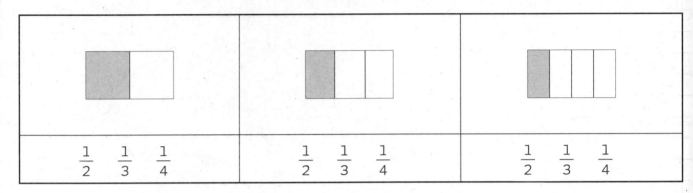

$\dfrac{1}{2}$ $\dfrac{1}{3}$ $\dfrac{1}{4}$ $\dfrac{1}{2}$ $\dfrac{1}{3}$ $\dfrac{1}{4}$ $\dfrac{1}{2}$ $\dfrac{1}{3}$ $\dfrac{1}{4}$

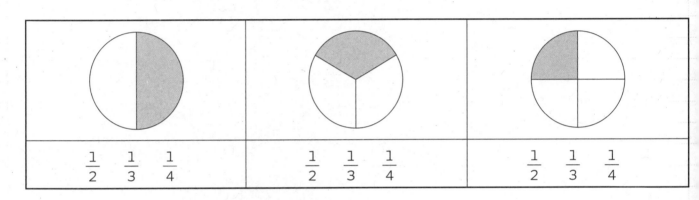

$\dfrac{1}{2}$ $\dfrac{1}{3}$ $\dfrac{1}{4}$ $\dfrac{1}{2}$ $\dfrac{1}{3}$ $\dfrac{1}{4}$ $\dfrac{1}{2}$ $\dfrac{1}{3}$ $\dfrac{1}{4}$

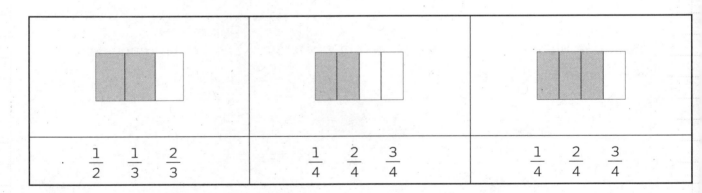

$\dfrac{1}{2}$ $\dfrac{1}{3}$ $\dfrac{2}{3}$ $\dfrac{1}{4}$ $\dfrac{2}{4}$ $\dfrac{3}{4}$ $\dfrac{1}{4}$ $\dfrac{2}{4}$ $\dfrac{3}{4}$

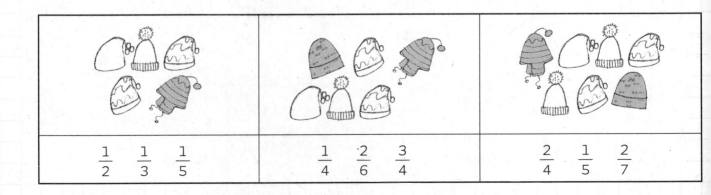

$\dfrac{1}{2}$ $\dfrac{1}{3}$ $\dfrac{1}{5}$ $\dfrac{1}{4}$ $\dfrac{2}{6}$ $\dfrac{3}{4}$ $\dfrac{2}{4}$ $\dfrac{1}{5}$ $\dfrac{2}{7}$

2 Écris la fraction illustrée.

 3 Représente la fraction indiquée.

$\dfrac{1}{2}$	$\dfrac{1}{3}$	$\dfrac{3}{4}$

$\dfrac{3}{5}$	$\dfrac{5}{8}$	$\dfrac{5}{6}$

Longueurs

1 Entoure l'unité de mesure la plus pratique pour mesurer, dans la réalité, les objets suivants.

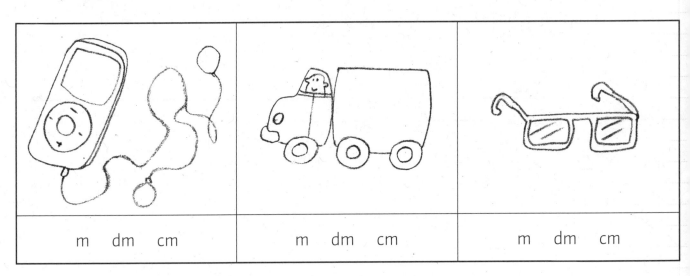

m dm cm   m dm cm   m dm cm

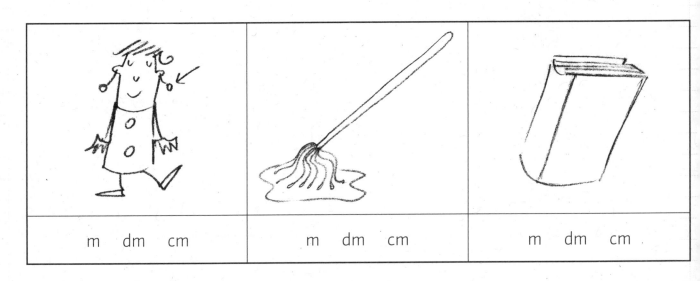

m dm cm   m dm cm   m dm cm

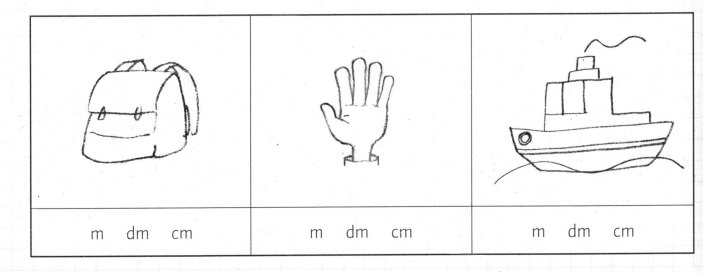

m dm cm   m dm cm   m dm cm

Mesure chaque crayon avec une règle et remplis les cases.

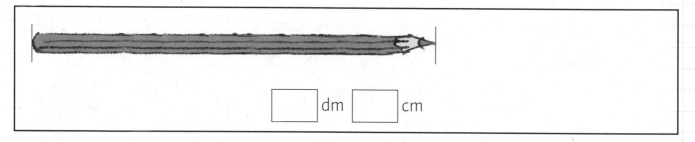

☐ dm ☐ cm

☐ dm ☐ cm

☐ dm ☐ cm

③ Écris dans les cases le signe >, < ou =.

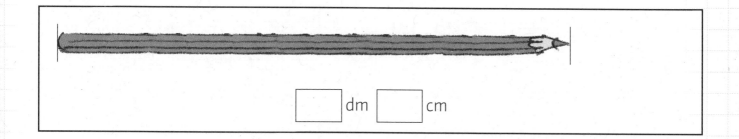

1 cm ☐ 1 dm	10 dm ☐ 1 m	100 cm ☐ 1 m
5 dm ☐ 7 cm	15 cm ☐ 3 dm	8 m ☐ 80 dm
35 cm ☐ 35 m	40 cm ☐ 4 dm	7 m ☐ 650 cm
54 cm ☐ 5 dm et 4 cm	30 dm ☐ 3 m	3 m ☐ 2 m et 4 cm
20 m ☐ 2 dm et 4 cm	95 dm ☐ 9 m et 5 dm	57 m ☐ 50 dm et 7 cm

Losange

Voir aussi figure plane.

1 Combien y a-t-il de losanges dans ce dessin ?

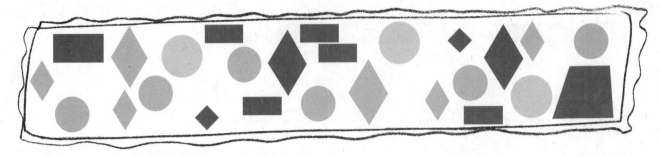

☐ losanges

2 Trace un losange dans chacune des grilles.

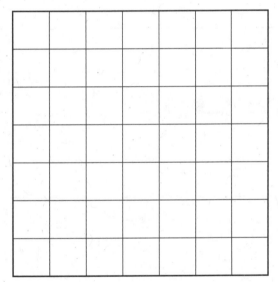
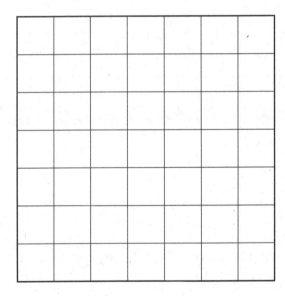

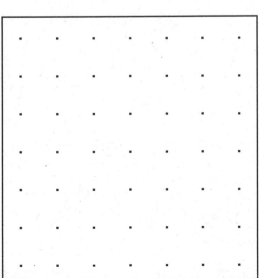

Multiplication
Voir aussi addition.

1 Écris une addition et une multiplication pour chaque illustration.

a)

☐ + ☐ + ☐

☐ × ☐

b)

☐ + ☐ + ☐

☐ × ☐

c)

☐ + ☐ + ☐ + ☐

☐ × ☐

d)

☐ + ☐ + ☐ + ☐ + ☐ + ☐

☐ × ☐

e)

☐ + ☐ + ☐

☐ × ☐

2 Écris la multiplication qui correspond à l'addition.

2 + 2 + 2 + 2

3 + 3 + 3 + 3

1 + 1 + 1 + 1

5 + 5

5 + 5 + 5

2 + 2 + 2 + 2 + 2 + 2

3 + 3 + 3 + 3 + 3

7 + 7 + 7 + 7 + 7

6 + 6 + 6 + 6

8 + 8 + 8 + 8

4 + 4 + 4 + 4

9 + 9

9 + 9 + 9 + 9 + 9

5 + 5 + 5 + 5 + 5 + 5

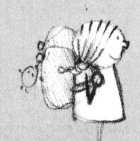
Nombres impairs
Voir aussi nombres pairs.

 Anne-Sophie va à l'école en suivant les nombres impairs.
Trace en bleu le chemin qu'elle prend.

624	596	506	520	622	279	733	987	382	151
322	494	468	470	416	801	430	99	558	243
394	432	482	978	456	137	444	267	518	167
370	546	428	532	620	77	534	73	572	205
334	584	560	358	255	57	346	229	608	179
640	284	630	296	89	628	308	293	310	153
184	678	208	672	125	122	720	745	676	281
780	62	45	949	951	50	792	825	222	305
12	946	13	36	804	756	110	963	648	93
768	74	21	928	134	718	146	181	258	149
193	719	707	48	158	694	160	37	646	113
81	24	744	732	682	196	246	101	260	61
155	816	98	706	210	674	644	217	642	721
837	930	86	172	234	660	272	231	813	975

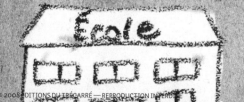

Nombres pairs
Voir aussi nombres impairs.

 Anne-Sophie revient de l'école à la maison en suivant
les nombres pairs. Trace en vert le chemin qu'elle prend.

193	81	155	837	45	13	21	707	68	12
949	951	125	89	255	57	77	137	624	801
628	296	630	279	733	997	99	267	596	73
308	37	284	229	293	745	825	963	506	181
310	101	640	217	558	430	416	231	520	813
676	975	518	721	394	61	470	113	622	149
720	93	444	305	432	281	494	322	382	154
122	179	456	978	482	205	167	243	151	629
672	309	311	677	721	123	673	209	679	185
208	781	63	51	793	223	649	111	757	13
678	184	69	625	597	507	521	623	383	323
495	780	62	50	471	415	431	559	395	433
483	979	457	792	445	519	641	285	631	297
756	110	648	222	629	311	677	721	209	679

Ordre croissant
Voir aussi ordre décroissant.

 Écris les nombres suivants dans les arbres selon l'ordre croissant.

a) 87, 75, 44, 23, 16, 36, 46, 56

b) 321, 111, 181, 244, 455, 77, 177, 511

c) 155, 144, 233, 221, 310, 322, 433, 445

d) 54, 824, 494, 164, 714, 274, 384, 604

Ordre décroissant
Voir aussi ordre croissant.

 Écris les nombres suivants dans les arbres selon l'ordre décroissant.

a) 111, 102, 73, 54, 45, 66, 97, 88

b) 129, 18, 215, 221, 342, 114, 313, 348

c) 651, 541, 431, 311, 201, 321, 421, 551

d) 210, 87, 354, 421, 476, 332, 343, 656

Prisme

Voir aussi solide.

 Entoure les objets qui ressemblent à un prisme.

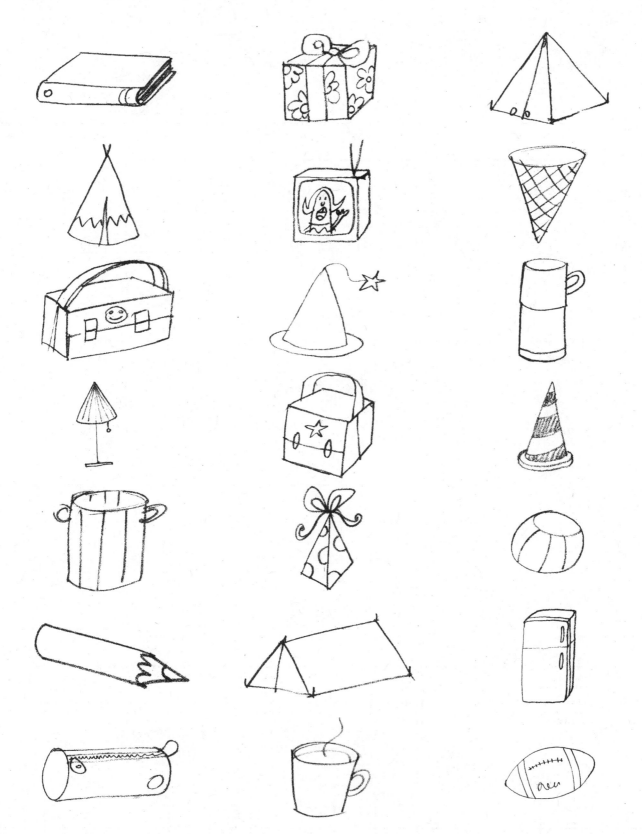

2 Entoure les figures qui permettent de construire chaque prisme.

Prisme à base carrée
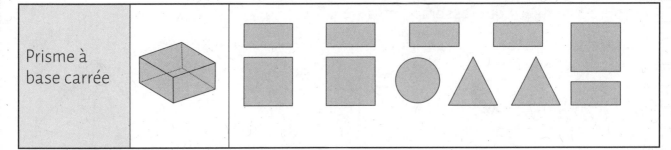

Prisme à base rectangulaire
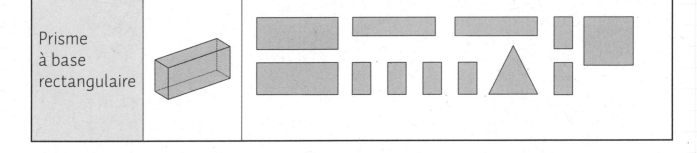

Prisme à base triangulaire
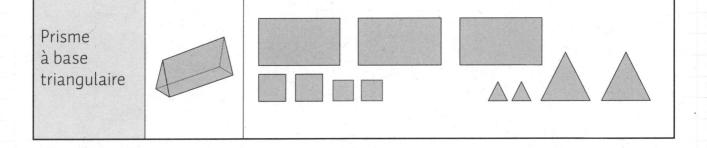

Prisme à base rectangulaire
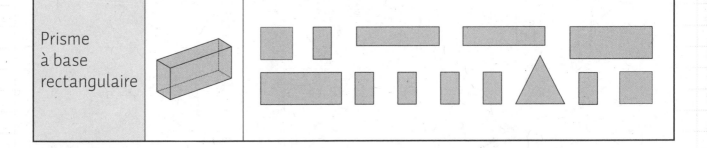

Prisme à base triangulaire
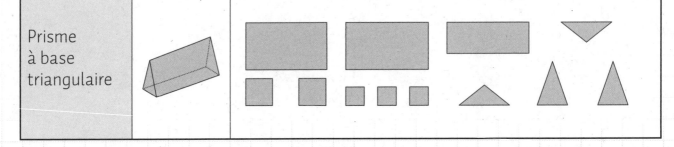

3 Écris les mots qui conviennent, puis réponds aux questions.

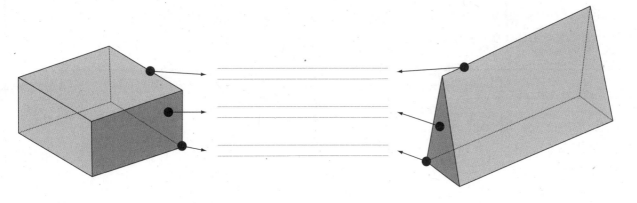

a) Combien de sommets possède un prisme à base rectangulaire ? ▢

b) Combien de faces possède un prisme à base carrée ? ▢

c) Combien de sommets possède un prisme à base triangulaire ? ▢

d) Combien de faces possède un prisme à base rectangulaire ? ▢

e) Combien d'arêtes possède un prisme à base rectangulaire ? ▢

f) Combien d'arêtes possède un prisme à base carrée ? ▢

g) Combien de sommets possède un prisme à base carrée ? ▢

h) Combien de faces possède un prisme à base triangulaire ? ▢

i) Combien d'arêtes possède un prisme à base triangulaire ? ▢

Probabilité

Voir aussi statistique.

1 Les événements suivants sont-ils certains, possibles ou impossibles ?
Coche la case qui convient.

Événement	Certain	Possible	Impossible
Nous sommes le 31 mai, demain nous serons le 1er juillet.			
Nous sommes lundi, hier c'était samedi.			
Nous sommes le 25 décembre. Hier, j'ai cueilli une pomme dans mon jardin.			
Je m'appelle Adèle Nobel. Mon nom et mon prénom contiennent 5 consonnes.			
L'oncle de Louis habite Montréal. Il a pris le métro pour aller à Rimouski.			
Omar a mis son chandail à l'envers.			
La tante de Lulu se brosse les dents douze fois par jour.			
1, 3, 5... Le prochain nombre impair est 7.			

2 Aujourd'hui, toute la classe va au zoo et Adèle ne sait pas quoi mettre. Représente sur le diagramme et sur le tableau les six façons différentes de combiner la chemise, le tee-shirt et le chandail avec la jupe et le pantalon.

Diagramme	

Tableau		

Pyramide

Voir aussi solide.

1 Entoure les objets qui ressemblent à une pyramide.

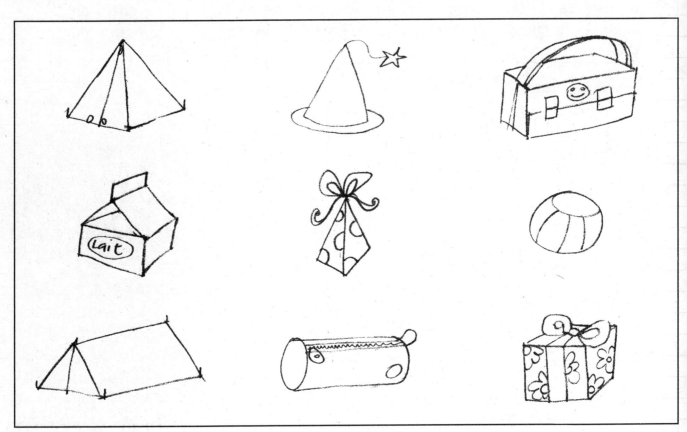

2 Entoure les figures planes qui permettent de construire chaque pyramide.

Pyramide à base carrée	▲	▲ ▲ ▲ ▲ ■ ● ▬
Pyramide à base triangulaire	▲	▲ ▲ ▲ ▲ ▲ ● ▬ ■
Pyramide à base carrée	▲	▲ ▲ ▲ ▲ ▲ ● ▬ ■

3 Écris les mots qui conviennent, puis réponds aux questions.

a) Combien de faces possède une pyramide à base carrée ?

b) Combien de faces possède une pyramide à base triangulaire ?

c) Combien de sommets possède une pyramide à base carrée ?

d) Combien de sommets possède une pyramide à base triangulaire ?

e) Combien d'arêtes possède une pyramide à base carrée ?

f) Combien d'arêtes possède une pyramide à base triangulaire ?

Rectangle

Voir aussi *figure plane*.

 Combien y a-t-il de rectangles dans ce dessin ?

| | rectangles

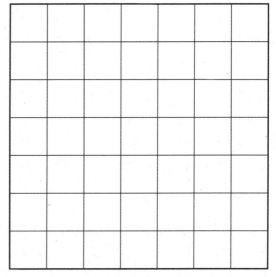

2 Trace un rectangle dans chacune des grilles.

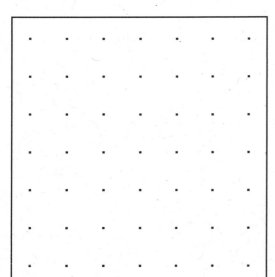

Solide

Voir aussi cône, cube, cylindre, prisme, pyramide, sphère.

 Relie chaque objet au solide qui lui ressemble. Puis, écris le nom de chaque solide.

   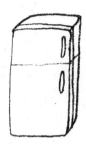   

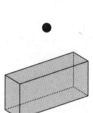      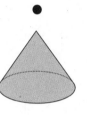

_____   _____   _____

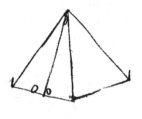   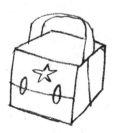   

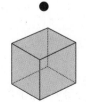   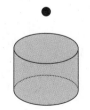   

_____   _____   _____

2 Écris le numéro de chaque solide dans la case qui convient.

a)

   1   **2**   **3**   **4**

1 face courbe   5 faces planes   6 faces planes   1 face courbe
2 faces planes

b)

  1   **2**   **3**   **4**   **5**

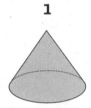

5 faces planes   1 face plane   2 faces planes   6 faces planes   4 faces planes
                  1 face courbe   1 face courbe

c)

  1   **2**   **3**   **4**   **5**

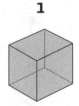

  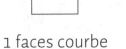 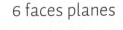

5 faces planes   2 faces planes   1 faces courbe   6 faces planes   4 faces planes
             1 face courbe

Soustraction

Voir aussi addition.

1 Barre d'une croix le nombre de fleurs qui convient, puis écris le résultat dans la case.

a)

$$10 - 2 = \boxed{}$$

b)

$$15 - 10 = \boxed{}$$

c)

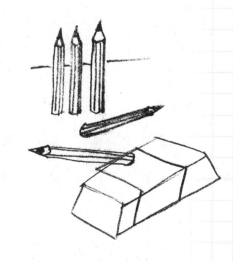

$$22 - 14 = \boxed{}$$

2 Barre le nombre de points qui convient et remplis les cases.

a) • • • • • • • • • • • •

$$12 - 5 = \boxed{}$$

b) • • • • • • • • • • • • •

$$13 - 10 = \boxed{}$$

c) • • • • • • • • • • • • •
• • • • • • • • • • • • •

$$26 - 12 = \boxed{}$$

3 Remplis les cases.

a) • • • • • • • ✗ ✗

$$\boxed{} - \boxed{} = \boxed{}$$

b) • • • ✗ ✗ ✗ ✗ ✗ ✗ ✗ ✗
• • • • • • • • • • •

$$\boxed{} - \boxed{} = \boxed{}$$

c) ✗ ✗ ✗ ✗ ✗ ✗ ✗ ✗ ✗ ✗ ✗ ✗ ✗
✗ ✗ ✗ ✗ ✗ • • • • • • •

$$\boxed{} - \boxed{} = \boxed{}$$

Trouve le terme manquant.

19 − ☐ 17	19 − ☐ 15	19 − ☐ 16	25 − ☐ 20
30 − ☐ 25	46 − ☐ 34	62 − ☐ 50	85 − ☐ 72
65 − ☐ 53	47 − ☐ 23	39 − ☐ 16	58 − ☐ 23
☐ − 15 14	☐ − 20 26	☐ − 35 33	☐ − 42 47
☐ − 20 50	☐ − 12 32	☐ − 23 45	☐ − 44 41~
65 − ☐ 52	47 − ☐ 22	39 − ☐ 20	58 − ☐ 18
75 − ☐ 53	77 − ☐ 23	69 − ☐ 16	68 − ☐ 23

Effectue les soustractions. Utilise la méthode de ton choix.

15 – 10

32 – 23

25 – 17

48 – 36

54 – 39

65 – 35

137 - 124

329 - 236

245 - 136

607 - 243

329 - 271

447 - 354

Problèmes

a) Nous sommes 36 dans notre classe. Aujourd'hui, 16 élèves ont un rhume. Combien d'élèves n'ont pas le rhume ?

Démarche	Réponse

b) Pendant que le remplaçant était dans notre classe, Lancelot a lancé 18 avions en papier. Amédée a lancé 3 avions de moins que Lancelot. Combien d'avions Amédée a-t-il lancés ?

Démarche	Réponse

c) Dans la boîte des objets perdus, il y a 32 objets : 25 mitaines, 4 espadrilles et des tuques. Combien y a-t-il de tuques dans la boîte ?

Démarche	Réponse

Sphère

Voir aussi solide.

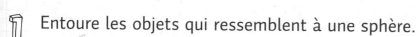 Entoure les objets qui ressemblent à une sphère.

Statistique

Voir aussi *probabilité*.

1 Les couleurs préférées des vingt enfants de la classe sont le rouge, le vert, le bleu et le jaune. Observe le tableau, puis, à la page suivante, complète le diagramme à bandes et réponds aux questions.

	Rouge	Vert	Bleu	Jaune
Lulu			X	
Gonzales		X		
Anne-Sophie		X		
Charles-Antoine				X
Olga			X	
William	X			
Adèle			X	
Jacob	X			
Karim			X	
Louis		X		
Héloïse	X			
Octave			X	
Ursule		X		
Napoléon			X	
Joséphine	X			
Miléna		X		
Lison	X			
Amédée		X		
Lancelot			X	
Clovis			X	

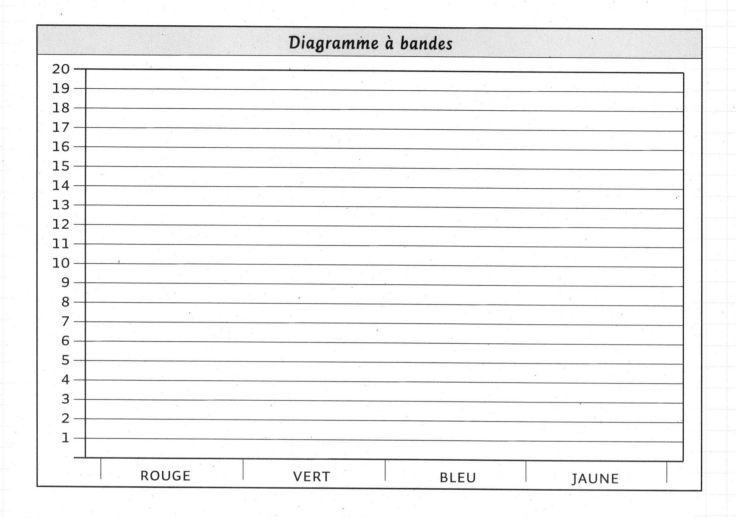

Diagramme à bandes

| | ROUGE | VERT | BLEU | JAUNE |

a) Combien d'élèves de la classe préfèrent le rouge ?

b) Combien d'élèves de la classe préfèrent le vert ?

c) Combien d'élèves de la classe préfèrent le bleu ?

d) Combien d'élèves de la classe préfèrent le jaune ?

e) Quelle est la couleur que les élèves aiment le plus ?

f) Quelle est la couleur que les élèves aiment le moins ?

Suites de nombres
Voir aussi *addition, soustraction*.

1   Trouve la régularité de chaque suite, puis complète-la.

a)   116   118   120   122   ▢ ▢ ▢ ▢   Régularité : ▢

b)   275   276   277   278   ▢ ▢ ▢ ▢   Régularité : ▢

c)   933   943   953   963   ▢ ▢ ▢ ▢   Régularité : ▢

d)   96   98   100   102   ▢ ▢ ▢ ▢   Régularité : ▢

e)   855   860   865   870   ▢ ▢ ▢ ▢   Régularité : ▢

f)   179   178   177   176   ▢ ▢ ▢ ▢   Régularité : ▢

g)   200   198   196   194   ▢ ▢ ▢ ▢   Régularité : ▢

h) 170 ☐ ☐ ☐ ☐ 175 ☐ 177   Régularité : ☐

i) 202 204 206 ☐ ☐ ☐ 214 216   Régularité : ☐

j) 100 150 200 ☐ ☐ 350 ☐ ☐   Régularité : ☐

k) 820 ☐ ☐ ☐ ☐ ☐ 813   Régularité : ☐

l) 210 207 204 201 ☐ ☐ ☐ ☐   Régularité : ☐

m) 120 124 123 127 126 ☐ ☐   Régularité : ☐

Table d'addition

Voir aussi addition.

 Sur la table d'addition ci-dessous :

a) Entoure en rouge la somme de 9 + 8.
b) Entoure en vert la somme de 10 + 7.
c) Entoure en jaune la somme de 8 + 6.
d) Entoure en bleu la somme de 10 + 10.

+	1	2	3	4	5	6	7	8	9	10
1	2	3	4	5	6	7	8	9	10	11
2	3	4	5	6	7	8	9	10	11	12
3	4	5	6	7	8	9	10	11	12	13
4	5	6	7	8	9	10	11	12	13	14
5	6	7	8	9	10	11	12	13	14	15
6	7	8	9	10	11	12	13	14	15	16
7	8	9	10	11	12	13	14	15	16	17
8	9	10	11	12	13	14	15	16	17	18
9	10	11	12	13	14	15	16	17	18	19
10	11	12	13	14	15	16	17	18	19	20

Temps

 1 Coche l'unité qui convient pour mesurer les durées.

	année	mois	semaine	jour	heure	minute	seconde
la vie d'un chien							
les vacances d'été							
l'hiver							
la composition d'un numéro de téléphone							
les vacances de Noël							
un rhume							
un éternuement							
mon déjeuner							
une sortie avec l'école							
une nuit de sommeil							
la conservation du lait dans le réfrigérateur							
la récréation du matin							
la varicelle							
la conservation d'un gâteau							
une course de 100 mètres							
le 1er cycle du primaire							
le printemps et l'été							

2 Observe le calendrier et réponds aux questions.

Janvier

Dimanche	Lundi	Mardi	Mercredi	Jeudi	Vendredi	Samedi
1	2	3	4	5	6	7
8	9	10	11	12	13	14
15	16	17	18	19	20	21
22	23	24	25	26	27	28
29	30	31				

a) Combien y a-t-il de dimanches dans le mois ?

b) Quel jour serons-nous le 31 janvier ?

c) Quelle date serons-nous la veille du 1er janvier ?

d) Quel jour serons-nous la veille du 1er janvier ?

e) Le 3e vendredi du mois, nous irons visiter une usine de fabrication de bicyclettes. Quelle date serons-nous ?

f) Quel jour serons-nous le 1er février ?

g) Il y a une réunion des parents le dernier jeudi du mois. Quelle date serons-nous ?

3 Réponds aux questions.

a) Combien de temps la Terre met-elle pour faire le tour du Soleil ?
Coche la bonne réponse.

 Un peu plus que 364 jours.

 Un peu plus que 365 jours.

 Un peu plus que 366 jours.

b) Combien de temps la Terre met-elle pour tourner sur elle-même ?
Coche la bonne réponse.

 22 heures

 23 heures

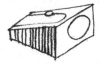 24 heures

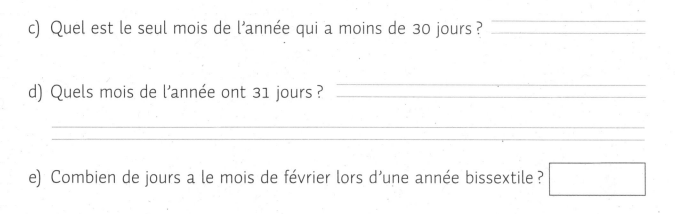

c) Quel est le seul mois de l'année qui a moins de 30 jours ? _____

d) Quels mois de l'année ont 31 jours ? _____
_____

e) Combien de jours a le mois de février lors d'une année bissextile ? [ ]

f) En quelle saison sommes-nous ?

Le 23 décembre _____

Le 2 mars _____

4 Écris sous chaque réveil l'heure qu'il indique.

(horloge)	le jour ou ___ la nuit	(horloge)	le jour ou ___ la nuit
(horloge)	le matin ou ___ l'après-midi	(horloge)	le matin ou ___ l'après-midi
(horloge)	le matin ou ___ le soir	(horloge)	le matin ou ___ le soir
(horloge)	le matin ou ___ le soir	(horloge)	le matin ou ___ le soir
(horloge)	le matin ou ___ le soir	(horloge)	le jour ou ___ la nuit

Triangle

Voir aussi figure plane.

 Combien y a-t-il de triangles dans ce dessin ?

| | triangles

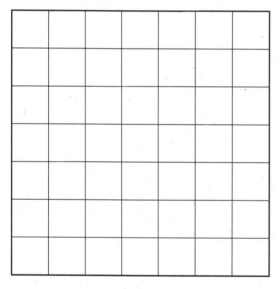 Trace un triangle dans chacune des grilles.

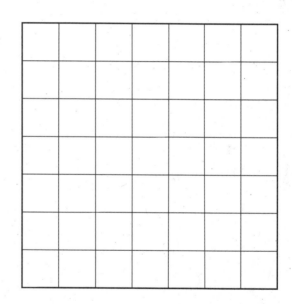

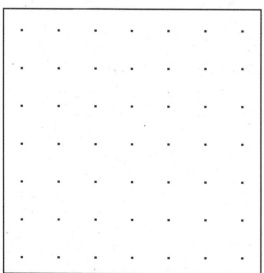

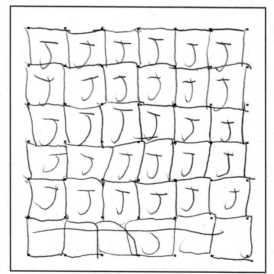

Unité

Voir aussi centaine, décomposer les nombres, dizaine.

1 Compte les éléments de chaque ensemble et écris le nombre d'unités.

a)

[ ] unités

b)

[ ] unités

c)

[ ] unités

d)

[ ] unités

e)

[ ] unités

f)

[ ] unités

2 Combien y a-t-il d'unités dans chacun des nombres suivants ?

87 = [ ] unités   89 = [ ] unités   109 = [ ] unités

100 = [ ] unités   155 = [ ] unités   199 = [ ] unités

360 = [ ] unités   475 = [ ] unités   622 = [ ] unités

999 = [ ] unités   110 = [ ] unités   905 = [ ] unités

3 Écris dans les cases le nombre d'unités que représentent les chiffres.

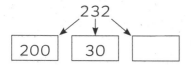
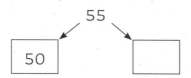
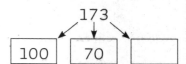
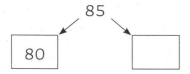
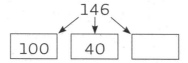
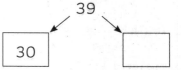
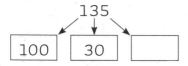
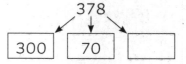
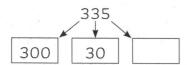
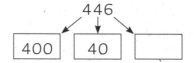
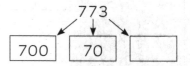
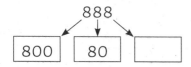
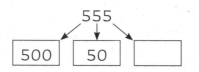
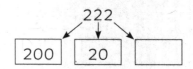

4   Dans les nombres suivants, souligne le chiffre à la position des unités.

9	27	42	19	24	4	37
127	109	163	103	136	175	158
78	852	522	299	222	444	51
17	20	33	4	93	77	55
901	273	424	191	242	411	370
72	900	36	300	63	57	85

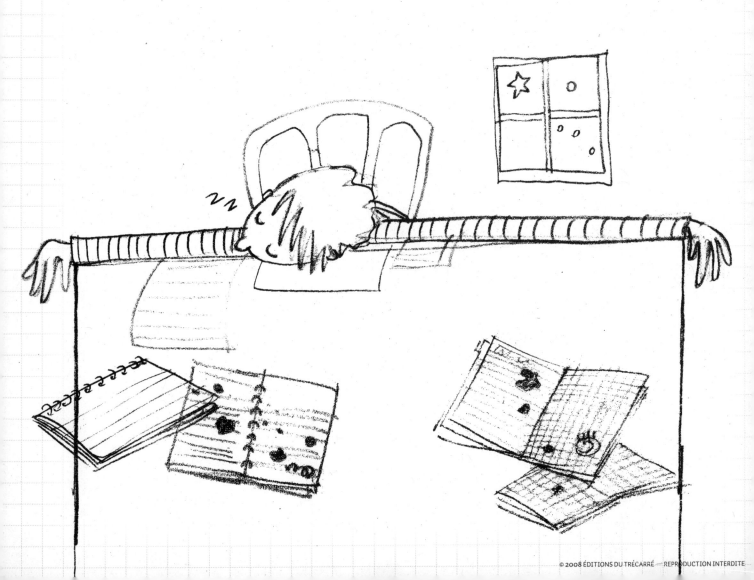